Brujería

hechizos, conjuros y encantamientos

Tamara

Brujería

hechizos, conjuros y encantamientos

Grupo Editorial Tomo, S. A. de C. V.
Nicolás San Juan 1043
03100 México, D. F.

1a. edición, abril 1998.
2a. edición, marzo 1999.
3a. edición, mayo 2000.
4a. edición, abril 2002.
5a. edición, marzo 2003.

© *Brujería, Hechizos, Conjuros y Encantamientos*
Tamara

© 2003, Grupo Editorial Tomo, S.A. de C.V.
Nicolás San Juan 1043, Col. Del Valle
03100 México, D.F.
Tels. 5575-6615, 5575-8701 y 5575-0186
Fax. 5575-6695
http://www.grupotomo.com.mx
ISBN: 970-666-082-8
Miembro de la Cámara Nacional
de la Industria Editorial No 2961

Diseño de portada: Emigdio Guevara
Supervisor de producción: Leonardo Figueroa

Impreso en México - *Printed in Mexico*

Índice

Introducción

A través de los años el hombre ha manifestado, en mayor o menor escala, un culto hacia lo mágico y lo religioso. El conocimiento de fuerzas y poderes de la naturaleza, hizo que el ser humano se interesara en la brujería, para así poderlos dominar y utilizarlos en su favor.

Desde que el hombre empieza a vivir en sociedad y forma tribus, en cada una de éstas, había un mago o brujo que se dedicaba casi exclusivamente a curar enfermedades y a los heridos en batallas o cacerías. Así pues, en un principio, la función de estos personajes era la de curanderos, dando paso poco a poco a la herbolaria, a la alquimia, a la farmacopea y a la química. Asimismo, las necesidades que el ser humano tenía para con su alma y sus creencias, eran cubiertas por estos brujos, los cuales fungían como representantes e intérpretes de los dioses en la tierra, manifestándose así como profetas.

El conocimiento adquirido por brujos y magos a través de los años, ha sido enseñado generacionalmente a personas con ciertas cualidades y virtudes para continuar la práctica y el estudio de estas artes. No obstante, mucha gente, al no encontrar una explicación lógica a esta ciencia o al ver afectados sus intereses, ha intentado exterminar a la brujería. Gran parte de esta "cacería de brujos" se ha debido también, al mal uso que muchas

personas han hecho de ella, convirtiéndola en "charlata-
nería" y engaños.

Este libro no intenta justificar, demostrar o salir en
defensa de la *brujería*, y a que se ha comprobado que ésta
existe y se manifiesta de diversos modos. La intención
real de esta obra, es recopilar hechizos y embrujos que
puedan ayudarle a salir adelante en su vida profesional,
personal y amorosa.

Capítulo I

Hechizos, Conjuros y Encantamientos

Los hechizos, conjuros y encantamientos, no son más que comprender, entender y dominar los poderes sobrenaturales y las grandes fuerzas naturales, para así, incorporarlos a nuestras vidas y poder obtener beneficios de ellos. El uso adecuado y al pie de la letra de los hechizos que aparecen en este libro, hará que las operaciones y ensalmos para lograr el amor, la salud, la riqueza y la suerte, sean exitosos.

En esta obra, podrá encontrar los *hechizos* necesarios para salir adelante en todos los aspectos de su vida, y podrá ayudar a aquellos seres queridos que, debido a fuerzas malignas y obscuras, se encuentren en situaciones difíciles y peligrosas.

Como habíamos mencionado con anterioridad, la ignorancia y desconocimiento de esta actividad, ha provocado desconfianza y temor hacia la gente que practica la brujería. Es por esto que usted, que ahora tiene la ventaja de conocer y adentrarse en los secretos de esta ciencia, debe hacer buen uso de ellos, intentando ayudar siempre a sus semejantes y sin causarles daño.

Es conveniente advertirle que el mal uso de los embrujos y hechizos incluidos en esta obra, así como la utilización de éstos para causar daños o aflicciones a personas inocentes, pueden ser revertidos en su propia persona o en sus seres más queridos.

La brujería no es un juego; es una ciencia que a través de los siglos ha ayudado a la humanidad por medio de personas serias que han estudiado y se han preparado. Es gracias a estos brujos, y a sus conocimientos y experiencias, por los cuales hemos recopilado estos hechizos, embrujos y encantamientos que esperamos le ayuden a salir adelante.

Capítulo II

¿Cómo Prepararse Para Realizar Hechizos, Conjuros Y Encantamientos?

Como en esta obra hemos tratado de hacer una recopilación lo más amplia y completa posible, usted encontrará las más diversas maneras de hacer magia. Algunas veces se utilizarán oraciones cristianas, y en otras, dependiendo de sus convicciones personales, se utilizarán oraciones a Dios o a las Fuerzas del Bien y del Mal.

Lo primero que usted debe hacer antes de realizar un hechizo, es purificarse y protegerse. También, es conveniente siempre tener un amuleto o talismán consigo, al igual que pedir la protección de las Fuerzas Superiores si se va a llevar a cabo cualquier tipo de encantamiento.

Es muy importante que usted tenga en cuenta que existen Fuerzas del Bien y Fuerzas del Mal, y que en este libro mencionaremos algunas de ellas para que pueda protegerse, no para ser utilizadas en contra de alguien pues, como lo señalamos antes, estas Fuerzas del Mal pueden revertirse contra usted mismo o contra alguien muy cercano.

Acerca de las palabras utilizadas en los conjuros o brujerías, muchas de éstas le podrán parecer tontas o ridículas, sin embargo, son las que se han venido utilizando a través de los años y, por esta razón, deben respetarse haciendo exactamente lo que se indica para cada hechizo.

Antes de pasar al siguiente capítulo donde trataremos el tema de los talismanes, es importante informarle que del respeto, concentración, fe y conocimiento que usted ponga en cada hechizo, dependerá el éxito de éste.

Capítulo III

Talismanes Y Amuletos

El uso de talismanes se remonta hasta la era prehistórica de la humanidad, donde se empezaron a utilizar diferentes elementos para protegerse del mal y atraer la buena suerte y la fortuna.

Los amuletos o talismanes se pueden dividir básicamente en los que tienen su origen religioso y los de origen supersticioso o de tradición popular. Dentro de los primeros, podemos encontrar crucifijos, medallitas, escapularios o estampas de algún santo que llevan inscrita al reverso alguna oración que sirve de protección para quien la porta.

Por lo que respecta a los talismanes no supersticiosos o populares, podemos toparnos con la más extensa diversidad de objetos, los cuales, dependiendo de la intuición o creencia del portador, atraerán la fortuna y la salud, ahuyentando la mala suerte y la fatalidad. Estos amuletos pueden ser patas de conejo, caracoles, semillas, piedras, trozos de metal o figuras de animales de diversos tamaños y materiales.

A continuación mencionaremos algunos de los amuletos más comunes, así como su función y características :

Hacha : Simboliza poder, fuerza y realeza; se le atribuyen poderes para dar la victoria y proteger al portador de la muerte o de la derrota. Se utiliza generalmente colgada al cuello.

Punta de flecha : Es similar al poder del hacha; también es utilizada para ahuyentar el mal de ojo, así como algunas dolencias femeninas.

Espada : Colocada en la pared sobre la cabecera de la cama y con la punta hacia la izquierda, sirve para proteger a los habitantes de la casa y atraer la riqueza y la felicidad.

Cruz Tau : Sirve para protegerse de enfermedades inflamatorias, así como para tratar la epilepsia y la erisipela.

Cruz Ansata (ANK) : Simboliza la resurrección y la vida eterna; también se le atribuye el poder de conceder la sabiduría y longevidad a la persona. Muchos ocultistas se sirven de ella para poder adentrarse en los secretos y misterios del otro mundo.

Cruz Suástica : Simboliza buena suerte, felicidad, placer, longevidad y progreso humano.

Cruz Cristiana : Representa la salvación y el sacrificio. Generalmente se usa como protección contra el mal y el Demonio.

Serpiente : Se usa como símbolo de sabiduría, longevidad, astucia y como portadora de salud y vitalidad.

Escarabajo : Este amuleto se caracteriza por atraer la riqueza y la evolución espiritual; simbolizando también la vida verdadera y la resurrección.

Tortuga : Es utilizada en las casas para mantener la unión familiar y la paz.

Cerdo : Hecho en oro, atrae la abundancia, la alegría y la buena suerte.

Elefante : En forma de estatuilla, se coloca en las casas para atraer la buena suerte y alejar las envidias, brujerías y el mal de ojo.

Tigre : El diente de estos animales es utilizado como amuleto de la buena suerte; los bigotes y garras, sirven como talismanes amorosos y para obtener éxito.

Abanico : Su principal cualidad es dar poder y autoridad a quien lo porte, así como seguridad a sí mismo.

Fénix : Simboliza la resurrección, permanencia, longevidad, persistencia y elevación personal.

Ancla : Si alguien la lleva colgada al cuello, le dará seguridad.

Corazón : Sirve para proteger al portador y evitar que su alma sea encantada por magos negros.

Pez : Es símbolo de divinidad, aportando también la paz y la felicidad.

Cristal de Roca : Un collar hecho con estos cristales, sirve para proteger de la hidropesía, la gota y la apoplejía.

Ranas : Si son de oro o de algún metal dorado, sirven para proteger la salud, sobre todo, en caso de epidemias.

Colmillo o cuerno : Se le atribuye un doble poder de protección contra el mal de ojo y la magia negra, además de atraer alegría y beneficios al portador.

Lagarto : Es considerado símbolo de divinidad y astucia. También es utilizado para protegerse contra enfermedades de la vista; de igual manera, sirve para atraer la dicha a las casas si son colocados en alguna habitación del hogar.

Araña : Sirve para atraer suerte a los negocios y la economía; también simboliza previsión y astucia.

Águila : Este amuleto simboliza coraje y valor; también, al que lo lleva, le aporta tenacidad y lo conduce a la dicha.

Ojo : Colocado detrás de las puertas del hogar, sirve para prevenir las desgracias y el mal de ojo.

Mano : Colgada de una cadenita al cuello, protege a la persona de la magia negra y del *mal de ojo;* también se utiliza en las casas con el mismo fin sólo que de mayor tamaño.

Escritos : Podemos encontrarlos en pergaminos o grabados en piedras, marfil, madera, metal, etc., utilizando versículos religiosos o palabras de contenido mágico como *Abracadabra Abraxas*, etc., y sirven para dar poder a quien los porte.

Nombre de Ángeles : A los ángeles se les atribuyen poderes especiales cuando se les asocia con un planeta distinto, estos amuletos, con los siete nombres de los planetas conocidos en la antigüedad, son reconocidos por su gran poder y efectividad. Los nombres de estos siete ángeles son: **Rafael** (El Sol), **Gabriel** (La Luna), **Miguel** (Mercurio), **Haniel** (Venus), **Camael** (Marte), **Zadkiel** (Júpiter), **Zaphiel** (Saturno).

Planetas : Los amuletos confeccionados con base en los planetas y sus poderes, se elaboran en piedras, colores y metales que correspondan a cada uno. Los del **Sol,** sirven para la longevidad y riqueza, debiendo confeccionarse en Luna Nueva, usando oro y rubíes. Los de la **Luna** se hacen con plata y perlas cuando haya Luna Llena, y sirven para resolver problemas sentimentales y para acrecentar poderes psíquicos. La alpaca, peltre o plata, junto con piedras de ágata y cornalina, sirven para hacer los de **Mercurio**, y ayudan para tener suerte en el juego, los viajes, la facilidad de palabra, el comercio y la protección de problemas con la ley. Para **Venus,** se utiliza cobre, adornado de zafiros o esmeraldas, y atraen el amor y la alegría en la vida. Para vencer al enemigo, obtener energía y coraje, se usan talismanes de **Marte,** confeccionados con hierro, diamantes y aguamarinas. Si se quiere atraer la buena suerte y los hijos, se utilizan los de **Júpiter,** hechos con estaño, turquesas y topacios. Los de plomo, azabache y rubíes, pertenecen a **Saturno,** y ayudarán para la longevidad, obtener prestigio y fama. Para la inteligencia, popularidad y poder, los talismanes de **Urano,** hechos con platino y adornados con granate u ópalos, son muy efectivos. Los de **Neptuno** llevan estaño, aguamarinas y amatistas y ayudan a la evolución espiritual, los largos viajes y los poderes psíquicos. El bronce, o hierro con venturinas y malaquitas, es utilizado en los de **Plutón,** y da poder sobre las cosas ocultas. Para hacer cualquiera de estos amuletos, se debe tener en cuenta que el planeta al cual se dedica el talismán, no se encuentre en un mal aspecto, y pueden ser mucho más efectivos si se hacen en Luna Nueva o Luna Llena.

Signos Zodiacales : Para estos amuletos se deben tomar en cuenta cuáles son los metales, piedras y colores que rigen al planeta de cada signo zodiacal. Obviamente, el amuleto sólo beneficiará a la persona nacida bajo el signo correspondiente, debiéndose confeccionar bajo la **Luna Nueva** de ese mes:

Aries (marzo 21 - abril 19) : Hierro, rojo, diamante, sardónica, granate.

Tauro (abril 20 - mayo 20) : Cobre, verde, esmeralda, alabastro, cornalina, coral.

Géminis (mayo 21- junio 21) : Mercurio, gris, berilo, ópalo, serpentina, granate.

Cáncer (junio 22 - julio 21) : Plata, blanco, calcedonia, selenita, perla.

Leo (julio 22 - agosto 22) : Oro, anaranado, rubí, ámbar, sardónica, crisolita.

Virgo (agosto 23 - septiembre 22) : Mercurio, gris, plata, cornalina, jaspe, zafiro.

Libra (septiembre 23 - octubre 22) : Cobre, verde, ópalo, cuarzo, diamante, mármol, berilo.

 Escorpión (octubre 23 - noviembre 21) : Imán, hierro, púrpura, amatista, cinabrio, hematita.

 Sagitario (noviembre 22- diciembre 21): Estaño, azul, turquesa, topacio, granate, opalina.

 Capricornio (diciembre 22 - enero 20) : Plomo, negro, granate, ónix, azabache, crisopacio.

 Acuario (enero 21 - febrero 18) : Plomo, uranio, azul, cobalto, zafiro, amatista, ópalo, cristal de roca.

 Piscis (febrero 19 - marzo 20) : Estaño, azul y verdes claros, aguamarina, crisolita, amatista.

Estrellas : Cuando una estrella de cinco puntas va acompañada de alguna inscripción mágica (pentáculos), es considerada gran protectora de quien la lleve consigo. Las de seis puntas (Estrella de David), representa dos triángulos, uno nos indica el poder de lo divino derramándose sobre la tierra, y el otro, que sube desde la tierra hacia el cielo.

Capítulo IV

Maldiciones, Salaciones, envidias, Rivales, Etc.

En este capítulo nos adentraremos en la magia que nos ayudará a liberarnos de ciertas maldiciones y brujerías que afectan o dañan a personas cercanas a nosotros. Muchas ocasiones los celos, envidias o rencores que despertamos en la gente que nos rodea, dan por resultado que nuestros "enemigos" quieran lastimarnos a toda costa. Esta parte del libro esta dirigida a ofrecer ciertos hechizos para protegernos de estas personas y de sus maldiciones.

¿Cómo Quitarse De Encima El Acoso De Una Mujer Insoportable?

Cuando un hombre es perseguido y molestado por una mujer insoportable en su trabajo o en cualquier otro lugar, lo que debe hacer para librarse de ella es lo siguiente :

Materiales

* 4 hojas de papel blanco
* 1 cajita de madera
* 1 cordel
* 1 paño blanco
* 1 plato de cristal blanco
* Tijeras
* Cerillos

Tome tres hojas y escriba en ellas el nombre de la mujer que quiera alejar de su vida. Por la parte de atrás escriba:

> No te quiero más ...
> ¡ aléjate de mi vida; vete ya!

Doble las hojas en cuatro partes cada una, deposítelas en la cajita de madera, amárrela con el cordel y cúbrala con el paño blanco. En la hoja restante, escriba nuevamente el nombre de la mujer y recórtelo en pequeños pedacitos; deposítelos en el plato y préndales fuego. Tome las cenizas y échelas sobre el paño blanco que cubre a la cajita. Lleve todo a un lugar que sólo usted conozca, entiérrelo bien y diga el siguiente conjuro:

> Solavaya ... ¡aléjate de mí!
> Solavaya, Solavaya, ...
> ¡No pienses más en mí!

¿Cómo Romper El Hechizo De Amarre Sobre Un Hombre?

Cuando alguna bruja ha realizado un *amarre* sobre un hombre, lo que usted debe hacer para liberarlo es :

Materiales

* 1 martillo de hierro
* 1 fotografía del hombre *amarrado* o alguna prenda íntima
* Miel
* ·Canela
* Polvo de cascarillas

Un sábado, a las doce de la noche exactamente, debe dirigirse hacia una vía de ferrocarril. Tome el martillo y dé tres golpes en la vía del tren invocando a los espíritus del Hades diciendo:

> Espíritus del Hades, por esta
> conjura...
> espíritus del Hades, ¡vengan en
> mi ayuda!

Después de repetir tres veces el conjuro, coloque sobre la vía del tren la fotografía del hombre amarrado o alguna prenda íntima; cúbrala con la miel, la canela y el polvo de cascarillas. Déjela en ese lugar hasta que el tren pase sobre ella y logre romper el hechizo.

¿Cómo Alejar De Su Vida A Ese Hombre Que Le Hace La Vida Insoportable?

Muchas mujeres son constantemente acosadas por los hombres, en la escuela, el trabajo o en las calles. Este hechizo las ayudará a sacarlos para siempre de sus vidas:

Materiales

* Fotografía o alguna prenda íntima del hombre
* Tijeras
* Agua caliente
* Hielo
* 1 mechón de la cabellera de la mujer
* 1 paño negro
* 1 cinta roja, verde o azul oscuro
* 1 manojo de hierbas malas
* 1 caja de cerillos

Tome las tijeras y lávelas perfectamente con el agua caliente y después páselas por el hielo; repita tres veces la operación. Con las mismas tijeras, corte un mechón de su cabello. Vuelva a lavar las tijeras y páselas por hielo tres veces más. Tome el paño negro y envuelva las tijeras; amárrelas con la cinta roja (verde o azul oscuro)

y deje que se serene durante toda la noche de un sábado
Es muy importante que no vuelva a tocar las tijeras hasta
el día en que se practique el hechizo. Tome las tijeras y
corte en pedacitos la fotografía del hombre, o su prenda
íntima, y métalos en la cajita de cerillos (es conveniente
dejar unos cuantos cerillos dentro de la caja). Acto
seguido, préndale fuego y repita, mientras arde, el conjuro de la hechicera Sibila:

> Arde foto, arde (***nombre del hombre***)
> ¡véte lejos de mi lado!
> no te quiero ver nunca más...
> ¡ni a tu cuerpo ni a tu imagen!
> ¡aléjate, Solavaya ...véte lejos de mi vida!
> ¡aléjate, Solavaya ...quítate de mi camino!
> ¡Solavaya! ¡Solavaya! ¡Solavaya!

Cuando diga el último Solavaya, dése vuelta hacia
la cajita que está ardiendo y échele tierra encima con los
pies, al igual que lo hacen los gatos cuando cubren sus
desperdicios.

¿Cómo Romper El Hechizo A Un Niño Que Ha Sido Embrujado?

Cuando los niños han sido afectados por el mal de
ojo, maleficios o malas vibraciones, puede practicarse el
siguiente hechizo para liberar a su niño de estos poderes
maléficos:

Materiales

* Flores blancas y colonia
* 1 vestido blanco
* 1 crucifijo
* 1 diente de ajo
* 3 hierbas mágicas (consulte un libro de plantas medicinales)
* Agua bendita
* 3 velas
* Incienso
* 1 escoba

La persona que vaya a realizar esta limpia, debe dejar de comer carne, pescado y aves, tres días antes de llevar a cabo este trabajo. Un día antes, sólo debe consumir granos y frutas. El día de la bendición, tomará un baño de inmersión con las flores blancas y la colonia, y deberá ponerse un vestido blanco. Llevará el crucifijo colgado al cuello y el diente de ajo prendido con un alfiler al vestido. Al llegar al niño embrujado, queme el incienso y encienda las tres velas, dedicando una a la Santísima Trinidad, una al Ángel de la Guarda del niño, y otra a la Santísima Virgen María; saque la cruz de su pecho y pásela por todo el cuerpo del niño haciendo la señal de la cruz en los siguientes puntos: la frente, entre los ojos, en la boca, en las orejas, el cuello, el pecho, las tetillas, el vientre, los genitales, los hombros, los brazos y las manos; dé vuelta al niño y haga la señal de la cruz en la parte de atrás de la cabeza, el cuello, la espalda y la columna vertebral. Continúe después por los muslos, las rodillas, las pantorrillas, los pies y, por último, la planta de los pies (siempre hay que hacerlo de derecha a izquierda y de arriba hacia abajo, en el orden que se indica). Finalmente, haga una gran cruz en todo el cuerpo del niño. Mientras va haciendo las cruces, hay que ir rezando el Padre Nuestro y el Ave María. Al terminar los pases, tome las tres hierbas mágicas y haga siete pases por todo el cuerpo del niño (de la cabeza a los pies) sin dejar de rezar y rociar agua bendita. Al finalizar esto, tire las hierbas a los pies del niño y destrúyalas con los pies descalzos. Una vez terminada la ceremonia, bendiga a los presentes (si los hay), y salga de la habitación, dejando que se consuman las velas. Pídale a alguna persona o a su ayudante que barra las hierbas fuera de la habitación. Por último, tome un baño y rocíese con el agua bendita.

¿Cómo Quitar El Mal De Ojo A Un Niño Con Un Pase Magnético?

Para combatir el mal de ojo o las malas vibraciones que tenga un niño, este pase magnético es infalible:

Materiales

* Aceite de coco, oliva o sésamo

Se desnuda completamente al niño y se le frota suavemente con la mano el aceite de coco, oliva o sésamo en todo el cuerpo. Después se lanza hacia afuera, con un pase enérgico, el mal que el niño tenga en su cuerpo, empezando desde la cabeza hasta los pies. Por último, se hace un movimiento hacia afuera, (pretendiendo sacar algo del cuerpo del niño) y se tira. Durante este movimiento, se repite tres veces y con fuerza la palabra:

Solavaya ... Solavaya ...
¡Solavaya!

¿Cómo Protegerse De Tormentas Y Rayos?

Los fenómenos climatológicos constantemente nos causan inconvenientes o accidentes. Para poder protegernos de ellos, este hechizo será de gran ayuda:

Materiales

* 1 cinta blanca
* 1 vela
* 1 estampita o imagen de Santa Bárbara
* Guano bendito
* 1 piedra de centella (o alguna de un lugar donde haya caído un rayo)

Tome la cinta blanca y colóquela alrededor de su brazo, cuello o cintura. Préndale a la imagen de Santa Bárbara la vela y queme el guano bendito mientras reza:

> Señora, vengo a ti con el alma pura,
> con esta cinta que tengo atada,
> protégeme...contra los terrores del rayo,
> y el horror del relámpago.

Si lo llega a sorprender una fuerte tormenta en el campo o la ciudad, recuéstese en el piso y pídale a Santa Bárbara que lo proteja. Lleve siempre consigo la piedrita de centella. Este hechizo le ayudará a perderle el miedo a las tormentas.

Hechizo Para Protegerse De Todos Los Peligros

Muchas veces nos encontramos atravesando momentos difíciles y siempre buscamos una protección que nos ayude a pasar estos amargos momentos. De igual manera, siempre buscamos algo que nos proteja de los peligros. La siguiente receta le será de gran utilidad:

Materiales

* Agua bendita
* 1 amuleto "trabajado"

Si se encuentra en una situación difícil o de peligro, dirija una oración al Ángel de la Guarda:

Ángel de Dios, defensor mío,
encomendado para protegerme y
cuidarme ...
tú que me has liberado siempre de
tantos desastres,
te pido que me ayudes en estos
momentos difíciles.
Tú que siempre me ayudas a dormir
y despertar,
perdona mi ingratitud porque a veces
me olvido de ti,
muralla de mi alma, fiel consejero
y guardador celestial, Amén.

Al terminar la oración, tome un poco de agua bendita (recogida de una iglesia) y haga la señal de la cruz para estar protegida de todo mal. Es conveniente siempre llevar consigo un amuleto previamente "trabajado".

¿Cómo Protegerse Contra Asaltos y Crímenes?

Si usted o su familia han sido víctimas de robos o crímenes, lo que debe hacer para protegerse de ellos es lo siguiente:

Materiales

* 1 costal de tela
* 1 crucifijo bendito
* 1 cuchillo

Cuando se dirija a su casa, recoja tierra del camino y échela en el costal. Al llegar a su hogar, coloque el saco debajo del crucifijo, tome el cuchillo y póngalo encima del costal.

¿Cómo Proteger Su Casa De Ladrones?

Es muy importante tener protegido su hogar de los "amigos de lo ajeno". A continuación le daremos un hechizo muy bueno para que estos delincuentes no se acerquen a su casa:

Materiales

* 1 cruz hecha de dos palos
* 3 cintas, una amarilla, una roja y una azul
* 1 moneda
* 1 saquito de tela roja
* 1 cuchillo

Debe colocar la cruz detrás de la puerta principal de su casa y amarrarle las tres cintas. Después ponga en una esquina de la sala, la moneda amarrada al saquito rojo. Por último, entierre el cuchillo en un lugar secreto y en la noche dígale a la Luna:

Luna, luna protectora ...
¡protege a tu hija más desvalida!

Otra solución puede ser el conocido hechizo de Ágata y Brunhilda, que consiste en preparar un talismán con un "ojo de buey", que haya estado en un vaso con agua y sal por tres días seguidos. Finalmente, colóqueselo en cuello en una noche de Luna.

¿Qué Hacer Cuando Hay Malas Vibraciones En El Hogar Ocasionando Pleitos, Tristeza y Conflictos?

Cuando en su hogar existan pleitos, disgustos y tristeza, usted debe practicar el siguiente hechizo para lograr armonía y felicidad en su casa:

Materiales

* Jazmines
* Gotas de su llanto (provocado por el sufrimiento que padece)

Siembre en su jardín un gajo de jazmines durante una noche estrellada (si no cuenta con jardín, puede hacerlo en una maceta), y riegue la planta recién sembrada. Después deshoje varios jazmines y mézclelos con tres gotas de su llanto. Sáquelos a serenar durante toda la noche. Al día siguiente, entierre los pétalos serenados junto a la planta que sembró el día anterior. Si logra que los jazmines se den, y procura tener siempre jazmines en su casa, nunca más habrá pleitos o conflictos en su hogar.

¿Qué Hacer Para Protegerse Del Mal De Ojo?

Cuando sienta que le han hecho *mal de ojo*, o que alguna persona cercana a usted sufre por la envidia oculta de alguien, es muy importante que haga el siguiente hechizo. Recuerde que muchas veces el mal de ojo se hace de manera involuntaria:

Materiales

* 1 azabache
* 3 dientes de ajo
* 1 mortero de madera
* Aceite de sésamo
* Aguardiente
* Semillas de calabaza
* Flores blancas
* 1 pliego de papel blanco
* Dinero (algunas monedas)
* 3 velas
* Incienso y guano bendito

Lo primero que debe hacer es colgarse el azabache al cuello; después, tome los dientes de ajo y macháquelos en el mortero de madera, agréguele tres gotas del aceite de sésamo y un poco de aguardiente, mezclando todo perfectamente. Tome este brebaje muy temprano y en ayunas mientras pide a Dios Todopoderoso que la libere de todo mal. Al terminar de tomar el brebaje, irá al baño para limpiar sus intestinos. Acto seguido, frótese el cuerpo suavemente con las semillas de calabaza y con las flores blancas, bañándose normalmente al terminar. Por la noche dése un baño con flores blancas y, al terminar, envuélvalas con el pliego de papel blanco. Sin hablar con nadie, salga de su casa y llévelas a un lugar apartado que sólo usted conozca. Es preferible arrojar las flores a un río desde un puente o al mar, pero de no ser posible, puede dejarlas en las vías de un ferrocarril, o en las cuatro esquinas de una misma manzana. Si en el trayecto de esta operación se le atraviesa un gato negro, haga la señal de la cruz y rece un Padre Nuestro. De igual manera, si se le acercara alguien vestido de negro a pedirle una limosna, déle las monedas que lleva preparadas, pero no le hable ni le sonría; si llegara la persona vestida de cualquier otro color, déle las monedas y sonríale. Cuando llegue a su hogar, encienda las velas; una para la Santísima Trinidad, otra a su Ángel de la Guarda y la tercera a los espíritus protectores que le acompañan en todo momento. Para neutralizar el maleficio en otra persona, debe de protegerse con talismanes o amuletos y, cuando llegue a su lado, rezará la Oración de San Juan de Letrán y, finalmente, quemará el incienso y el guano.

¿Qué Hacer Cuando En Su Trabajo Le Acosan Los Chismes ?

¿Cuántas veces nos hemos visto involucrados en chismes, calumnias o murmuraciones dentro de nuestros centros de trabajo? Para olvidarse de estos problemas usted debe hacer lo siguiente:

Materiales

* 2 hojas de papel (una amarilla y una blanca)
* 1 lápiz de color rojo
* 1 cuchillo
* 2 carbones

Tome la hoja de color amarillo y escriba en ella el nombre de las personas que lo están calumniando (si no está completamente segura de quiénes son, ponga un signo de interrogación al lado del nombre) y ponga los dos carbones encima del papel amarillo. En el papel blanco, dibuje con el lápiz rojo una lengua que esté saliendo de la boca y coloque el cuchillo encima. Después encienda los carbones y deje que se queme el papel amarillo; mientras esto sucede, corte con el cuchillo la hoja blanca en pequeños pedazos repitiendo el siguiente conjuro:

Corto, tijera de medias vueltas ...
corto, enseguida, esas lenguas sueltas.

Finalmente, eche los pedacitos de papel al fuego y observe como se consumen.

¿Cómo Librarnos Del Insoportable Jefe?

Si en su trabajo usted tiene la mala suerte de tener un jefe latoso e insoportable, le recomendamos que realice el siguiente hechizo:

Materiales

* 1 hoja de papel amarillo
* 1 espejo
* 1 manojo de hierbas (de algún jardín próximo a su oficina)
* Aceite de palmacriste
* Aceite de ricino
* Sal
* Tijeras

En el papel amarillo escriba el nombre de su jefe tres veces; junto, escriba el número del nombre* (sin sus apellidos). Coloque el espejo volteado encima del papel y ponga sobre la parte posterior de éste las hierbas, tres gotas del aceite de palmacriste y tres gotas del aceite de ricino; a continuación, diga la siguiente maldición:

---

* En el capítulo XI usted podrá ver cómo sacar el número del nombre, apellidos y nacimiento.

> Jefe malvado que me tienes la vida
> atormentada ...
> ahora te maldigo para que te vayas ...
> con mi poderosa maldición de la
> Solavaya ...
> ¡Solavaya! ¡Solavaya! ¡Solavaya!

Al terminar la maldición, realice una serie de pases magnéticos del espejo hacia afuera, lanzándolo mentalmente hacia la calle. Recoja las yerbas y tírelas a la basura; tome el espejo, úntele la sal y lávelo perfectamente. Finalmente, recorte con las tijeras en pequeños pedacitos el papel con el nombre de su jefe, y tírelos en un lugar por donde pasen muchos animales.

¿Qué Hacer Cuando Se Está Hechizado Por Un Malvado Ser, Que Nos Obliga Estar A Su Lado Cuando Quiere?

Si alguna vez ha sentido la imperiosa necesidad de ir al lado de una persona a determinada hora, sin importarle en lo más mínimo el lugar o lo que esté usted haciendo, seguramente ha sido hechizado por ella. Para deshacer este embrujo, haga lo siguiente:

Materiales

* 1 vela de las iglesias de El Señor de las Maravillas
* Agua bendita de alguna iglesia dedicada a San Pablo o a San Patricio

Lo primero que usted debe hacer, es determinar con la mayor precisión posible, la hora en que se presentan los síntomas (la tremenda necesidad de irse con este ser) en la persona afectada. Haciendo un cálculo aproximado, usted debe darle al embrujado la vela y hacerlo con ambas manos. En cuanto hagan su aparición los primeros síntomas, una persona que realmente ame al afectado y que tenga fe en Dios, repetirá tres ocasiones la oración al Señor de las Maravillas y le ayudará a encender la vela, obligándole a repetir esta misma oración hasta que pasen los efectos negativos. Finalmente, se le dará de beber al poseído el agua bendita en un tarro grande.

¿Cómo Ayudar A Esa Persona Que Siempre Anda De Un Lado Para Otro, Sin Terminar Nunca Nada De Lo Que Emprende?

¿Cuántas de las personas que conocemos nunca duran en un trabajo, se cambian constantemente de casa y hasta de pareja, sin una razón justificada? Gran parte de estas personas han caído en un maleficio que no las deja en paz, obligándolas a ir de un lado a otro sin poder establecerse. El siguiente hechizo, ayudará enormemente a que ellos puedan liberarse de esa maldición que no los deja vivir tranquilos:

Materiales

* 1 planta doradilla (puede buscarla en un libro de herbolaria)

* Jamaica
* Semillas de nanche
* 4 veladoras amarillas
* 1 figura de *vudú*
* Sal de grano
* 5 limones
* 1 bote pequeño con petróleo

La víctima de este maleficio deberá tomar baños de asiento con la planta doradilla, hervida con jamaica y las semillas de nanche. Pasará los limones por sus muslos y genitales y después encenderá las cuatro veladoras, repitiendo 14 veces la oración a las Misiones Divinas. Al mismo tiempo, prenderá fuego al muñeco *vudú*, el cual estará sentado en el bote con petróleo, la sal de grano y los limones.

¿Cómo Quitarse Lo Salado Atrayendo La Buena Suerte?

Cuando las cosas no le salen como usted quiere y experimenta una sensación de malestar e impotencia, seguramente tiene alguna salación que impide su felicidad. Esto es muy sencillo de solucionar, simplemente haga lo siguiente:

Materiales

* 1 veladora de las siete potencias

* Agua

* 1 frasco de cristal con tapa

* Alcohol

* 13 alfileres

* Tierra de panteón

* Loción Siete Machos

* 1 cazuela de peltre vieja

* Un vaso nuevo

El primer paso a seguir es encender la veladora y dejarla consumir en el vaso de cristal; después, ponga en el vaso los alfileres y llénelo con agua. El segundo paso, es guardar el vaso en un lugar obscuro durante siete días; al cumplirse el plazo, usted tirará el agua fuera de su casa haciendo una cruz con el líquido. Lave los alfileres con la loción de Siete Machos y guárdela en el frasco de cristal, ya que deberá untársela de la cabeza a los pies diariamente antes de salir de su casa. En el vaso donde guardó los alfileres, ponga un puño de tierra de panteón y un poco de alcohol y vuélvalo a guardar en un lugar obscuro durante tres días; posteriormente, deposítelo en la cazuela de peltre y agregue un poco más de alcohol prendiéndole fuego. Finalmente, tire los residuos de la cazuela en la contra esquina de su casa y pida que el mal que le han hecho se aleje inmediatamente.

Capítulo V

Hechizos Para Curar y Evitar Enfermedades, Padecimientos y Accidentes.

En este capítulo, encontraremos remedios y hechizos en contra de las enfermedades, padecimientos o accidentes que suelen acontecer en la vida diaria. Cuando éstos nos siguen a nosotros, o a nuestros seres queridos con demasiada frecuencia, seguramente se trata de algún daño que un malvado ser nos está haciendo. Pero no se preocupe, en este capítulo, usted obtendrá las armas suficientes para combatir a su enemigo.

¿Qué Hacer Para Acabar Con La Frigidez De Una Mujer?

Hay ocasiones en que la mujer no se muestra apasionada con su pareja, ocasionándole serios problemas a la hora de hacer el amor. Si su pareja es de las que lamentablemente sufre de frigidez, usted puede ayudarle con el siguiente hechizo:

Materiales

* Pimienta en grano
* 1 mortero (de madera preferentemente)
* Aceite de coco o de cacahuate
* 1 vela roja
* 1 frasco de cristal con tapa (nuevo si es posible)
* 1 paño rojo

Durante alguna noche, en un lugar donde ella no pueda verlo y a la luz de la vela roja, lo primero que usted hará es moler perfectamente la pimienta en el mortero de madera; una vez hecho esto, mezclará muy bien la pimienta molida con el aceite de coco o de cacahuate repitiendo el siguiente conjuro:

> Calienta pimienta el cuerpo de mi
> amada y el aceite la vuelva deseosa
> de ser besada; calienta sus
> caderas, sus senos y su piel ...
> ¡ caliéntala pimienta!
> ¡caliéntala bien!

Una vez hecho esto, ponga en el frasco de cristal la mezcla, tápelo, envuélvalo con el paño rojo y guárdelo durante siete días en algún sitio al que sólo usted tenga acceso. Al cumplirse el plazo, saque el frasco, póngase en la palma de su mano algunas gotitas de la mezcla y úntela en la piel de su pareja repitiendo mentalmente:

> Caliente la pimienta, la piel que toque
> este plato;
> ¡Caliente por dentro a esta mujer!

Con este hechizo, su pareja frígida se convertirá en una ardiente mujer en la intimidad, terminando, de una vez por todas, con el problema.

¿Qué Hacer Para Poder Vencer La Impotencia Sexual Y Lograr Una Erección Duradera?

Si usted es de las personas que sufre por no lograr una erección duradera cuando está con una mujer, debe lo siguiente :

Materiales

* 1 bañera
* Agua
* 1 jarra o recipiente de plástico (chico)
* 1 toalla blanca
* Alcohol
* Aceite de coco
* 1 espejo grande
* 3 huevos de gallina o codorniz
* 1 ramita de albahaca o de menta
* 1 trusa nueva
* Loción (la que usa diariamente)

Un viernes de cualquier semana, ponga agua caliente (lo más que pueda soportar) en la bañera y dése un
baño de asiento durante 30 minutos, frotándose los tes-
tículos; después, échese agua fría del refrigerador con la
jarrita desde el ombligo para que caiga hacia sus genitales y repita:

> Agua caliente, te caliento;
> agua fría te enfrío;
> ¡pero el fuego no lo apago!

Una vez hecho esto, tome la toalla blanca, póngale
un poco de alcohol y dé un buen masaje a sus genitales
diciendo:

> Agua fría, te enfrío
> pero mi fuego lo caliento ...

Después de secarse bien, se frotará los genitales con
unas gotitas de aceite de coco y se parará frente al espejo
completamente desnudo. Acérquese al espejo y cuando
esté pegado a éste, repita tres veces:

> Fuego interior que quema ...
> ¡lléname de poder para el buen amor!

Al terminar, tome los tres huevos de gallina o codorniz y viértalos en sus genitales diciendo:

> Fuego interior que quema
> ¡lléname de poder para el buen amor!

Una vez realizado esto, dé varios golpes en su cuerpo con la ramita de albahaca o de menta y dése un baño como lo hace normalmente. Al salir de la ducha, ponga en su trusa nueva tres gotas de su loción diaria y póngasela. Finalmente, al estar frente a la mujer amada, repita mentalmente:

> Fuego interior que quema ...
> ¡lléname de poder para el amor!

Los resultados saltarán a la vista inmediatamente y usted logrará ser el hombre viril que siempre ha soñado.

¿Qué Hacer Cuando Se Está Perdiendo El Cabello?

Para evitar el problema de la calvicie, este hechizo le será de gran utilidad :

Materiales

* 3 huevos de gallina
* Aceite mineral
* Aceite de coco
* Harina de maíz
* Comino
* Laurel

* 1 pañuelo blanco
* 1 toalla blanca nueva
* Incienso

Primeramente, exponga la toalla blanca, nueva, a la luna durante tres noches seguidas y asegúrese de usarla sólo para su hechizo contra la calvicie. Hecho esto, tome los huevos, el aceite mineral, el aceite de coco, la harina de maíz, el comino, el laurel y mézclelos perfectamente. Luego, moje muy bien el pañuelo blanco en la mezcla y déjelo en su cabeza durante 5 minutos. Después, tome un baño como lo hace normalmente y séquese con la toalla blanca; acto seguido, póngase de rodillas, agache la cabeza y con la yema de los dedos aplíquese un masaje en el cuero cabelludo durante 5 minutos para ayudar a que la sangre circule en su cráneo; mientras realiza esta operación, diga el siguiente conjuro:

> Hécate sabia y juiciosa
> demuestra tu fuerza en mi pelo ...
> relléname los cabellos
> con luna gitana y sol del desierto

Una vez terminado esto, levántese y dé dos vueltas hacia su lado derecho; dos hacia el izquierdo y prenda el incienso. Esto le bastará para dejar de perder su cabellera.

¿Qué Hacer Para Que El Hombre Logre Disfrutar Enormemente Del Placer Sexual?

Hay ocasiones en las que el hombre, no logra disfrutar al hacer el amor. Muchas veces experimenta un sentimiento de frustración que le va provocando un trauma terrible y una inseguridad enorme. Este hechizo va dirigido a estos hombres para que, de ahora en adelante, logren satisfacer completamente sus necesidades sexuales y disfruten en la intimidad:

Materiales

* Aceite de coco

* Pimienta

* Azúcar

* Canela

* Ají picante

* Miel de abeja

* Mostaza

* Orégano

* Laurel

* 1 plato de cristal

* Listón rojo

Lo primero que se debe de hacer es untarse todas las noches, antes de acostarse, un poco de aceite de coco con tres gotitas de miel de abeja en sus partes genitales. Después, tome la pimienta, el azúcar, la canela, **el ají** picante, la miel de abeja, la mostaza, el orégano, el laurel y póngalos en el plato de cristal junto a su cama; desnúdese, amárrese un listón rojo alrededor de su cintura, otro más pequeño en sus genitales y acuéstese a dormir. Para que este hechizo funcione adecuadamente, usted tendrá que realizarlo durante siete días seguidos (del día 13 al 19 de cada mes) hasta que empiece a ver resultados positivos.

¿Qué Hacer Para Evitar Que El Niño Se Siga Orinando En La Cama?

Uno de los problemas más comunes en los hogares, es el del niño que durante las noches orina su cama. Esto puede tener muchos motivos y, por consiguiente, muchas soluciones. A continuación, le presentaremos un hechizo muy efectivo para evitar que su niño deje de mojar su cama en las noches:

Materiales

* 1 fotografía de un perrito negro (puede ser de una revista)
* 1 recipiente de porcelana
* Agua

Tome la fotografía del perrito negro, colóquela en el recipiente de porcelana y llénelo con agua. Cuando el niño se haya acostado a dormir, coloque el recipiente debajo de la cama y déjelo ahí. Si al día siguiente el niño orinó la cama, tome el recipiente con la mano derecha y láncelo fuera de su casa (hacia el lado derecho). Después, pregunte a la primera persona que vea en la calle si ha visto algún perrito negro, cuando le respondan negativamente, no dé las gracias, sólo regrese a su casa y diga el siguiente conjuro frente a la cama de su niño:

> Perrito negro, te doy las gracias yo ...
> llévate la orina que mi niño (a)
> te echó...

Si por casualidad, la persona a la que preguntó por el perrito le dice que sí, pregúntele hacia dónde se fue y, si lo logra encontrar, dígale el siguiente conjuro:

> Perrito negro, te doy las gracias yo...
> ¡llévate la orina que mi niño (a)
> te echó!

Repita este hechizo hasta obtener los resultados deseados; seguramente sólo tendrá que hacerlo una o dos veces.

¿Qué Hacer Para Detener La Hemorragia Nasal?

Cuando alguna persona, empieza a sangrar por la nariz debido a un golpe o por algún motivo desconocido, usted podrá controlarle la hemorragia con el siguiente hechizo:

Materiales

* 1 manojo de yerba fresca
* 1 cubo pequeño de hielo

Cuando la hemorragia empiece, usted deberá tomar el manojo de yerba fresca y hacer una pequeña cruz, colocándola sobre la frente de la persona que sangra mientras dice el siguiente conjuro:

> Verde yerba, sagrada cruz ...
> calma la sangre de este creyente que
> necesita tu luz.

Después de hacer esto, se santigua a la persona en el nombre del Padre, del Hijo y del Espíritu Santo. Finalmente, se coloca el hielo en la frente de la persona y se repite:

> Congélate frente, congélate al instante ...
> ordena a este hielo que detenga
> la sangre ...

Hechizo Para Protegerse De Todas Las Enfermedades

Cuando en su familia hay alguien propenso a caer enfermo, usted debe de protegerse de una manera especial. A continuación le presentaremos un hechizo para que se olvide para siempre de las enfermedades:

Materiales

* Anillo de Saturno o talismán
* 1 túnica blanca
* 1 rama verde de un árbol sano
* Agua bendita de iglesia
* 1 pañuelo blanco
* 3 gajos de albahaca
* 1 vela blanca
* Incienso
* Aceite mineral
* Aceite de Sándalo
* Agua de colonia
* Agua de violetas
* Agua de rosas

Para ayudar a la persona enferma, lo primero que debe de hacer es protegerse con un anillo de Saturno, contra enfermedades o algún talismán preparado; vístase con la túnica blanca y pase la rama verde por todo el cuerpo de la persona enferma rezando la oración del Padre Eterno:

> Padre eterno, Señor
> misericordioso y justo,
> tú que sufriste en la cruz del calvario
> el sufrimiento del cuerpo y el alma,
> compadécete de este (a) pobre
> enfermo (a) ...
> y como curaste a los leprosos
> y diste vista a los ciegos,
> manifiesta tu poder sanador y
> devuelve la salud
> a tu hijo(a) (***nombre de la persona
> enferma***).

Cuando el enfermo se haya recuperado, se le hará un baño de salud y una rogación de la siguiente manera: vestido de blanco, coloque el pañuelo blanco sobre su cabeza y pida al enfermo que se desnude, tome tres gajos de albahaca y golpee todo el cuerpo de la persona suavemente, repitiendo:

> Energía de salud, llena este cuerpo ...
> ¡fortalece este cuerpo con la salud!

Después de esto, dé siete vueltas por el lado derecho de la persona y siete por la izquierda; prenda la vela blanca, el incienso y en la palma de su mano derecha, ponga cinco gotitas de aceite mineral, tres de sándalo, tres de agua de colonia y un chorrito de agua de violetas, frotando todo muy bien en su mano. Echele al enfermo agua de rosas, tome sus manos y empiece a hacerle la siguiente rogación: Tome la cabeza del enfermo **entre** sus manos y déle un masaje mientras se la dedica a su ángel protector; pásele las manos por la frente, los oídos, los labios, el cuello, los hombros, los brazos, antebrazos y manos (jalando cada uno de los dedos); Siga por el pecho, el abdomen, la espalda los glúteos, las partes nobles, muslos, pantorrillas y finalmente los pies. Una vez terminado esto, se retira y deja que la persona enferma se vista sin que usted la vea. Es recomendable que este hechizo se haga entre personas del mismo sexo, ya que es importante evitar cualquier tipo de atracción durante el baño de salud.

¿Qué Hacer Para No Contagiarse De Enfermedades?

Cuando usted, por sus actividades o trabajo, está expuesto al contacto con enfermos, debe de protegerse lo mejor posible para no caer presa de éstas. El siguiente hechizo, le ayudará a evitar que las gripas, fiebres y demás enfermedades contagiosas entren en su organismo:

Materiales

* Aceite de oliva
* 3 dientes de ajo
* 1 hoja de laurel
* 1 huevo de gallina

* 3 gajos de albahaca
* 1 crucifijo de madera (chico)
* Agua de colonia
* 1 vaso de cristal nuevo
* Agua

En la noche, a la hora de acostarse, llene el vaso con agua y deje que sus vibraciones positivas *carguen* el vaso durante toda la noche. Antes de dormir, bendiga el agua de la siguiente manera :

Agua milagrosa te volverás ...
¡y para siempre me cuidarás!

Cuando despierte, lo primero que deberá hacer, es tomarse el vaso de agua y comerse un diente de ajo crudo; coloque en el vaso vacío el aceite de oliva, la hoja de laurel, el huevo, la albahaca, el agua de colonia y revuélvalo todo muy bien. Coloque el vaso en un lugar alto y seguro durante todo el día y, en la noche, cuando regrese de sus actividades, llévelo hacia algún río, mar, pozo, lago, vías de ferrocarril o a las cuatro esquinas de una manzana y tírelo. De regreso a su casa, lave perfectamente el vaso y llénelo nuevamente de agua. Repita el conjuro de la noche anterior y, a la mañana siguiente, tome nuevamente el agua y cómase otro diente de ajo. Una vez hecho esto, llene otra vez el vaso y coloque el crucifijo dentro del mismo, dejándolo así todo el día y toda la noche hasta el día siguiente. Finalmente, levántese antes de que salga el sol y, con el crucifijo, haga la señal de la cruz, beba el agua, cómase el último diente de ajo y cuélguese el crucifijo al cuello durante siete días y siete noches.

¿ Qué Hacer Con Esos Terribles Dolores De Espalda?

Después de una larga y agotadora jornada laboral, es común que el molesto dolor de espalda nos haga sufrir cuando intentamos descansar. El siguiente hechizo, hará que el dolor desaparezca para siempre de nuestras vidas:

Materiales

* 2 conchas de caracol de playa o babosa de río
* Aceite de oliva
* Sal
* 1 túnica blanca

La persona encargada de aplicar este remedio, debe estar vestida con la túnica blanca e invocar a Dios, antes de comenzar los pases. Se toman las conchas de caracol en la mano y se les vierte un poco de aceite de oliva y una pizca de sal repitiendo el siguiente conjuro:

Adón, Alohim, Adonaiu ...
con esta unción, el dolor se va.

Al término de esto, se colocan las conchas sobre la espalda del enfermo y se pasa la mano suavemente de arriba abajo, a lo largo de la columna vertebral, transmitiendo energía positiva. Esta acción, debe de realizarse lentamente desde el cuello hasta el cóccix sin apretar, solamente sobando. Este pase deberá hacerse tres veces.

¿ Qué Hacer Para Combatir Los Terribles Dolores De Cabeza?

Uno de los dolores más comunes que se presentan cuando estamos estresados, presionados o con alguna preocupación, es el dolor de cabeza. Para terminar con una terrible jaqueca, usted debe seguir los siguientes pasos:

Materiales

* 1 hoja de papel blanca
* Tijeras
* 1 barra de mantequilla o manteca

Tome la hoja de papel y recorte dos círculos de aproximadamente 3 centímetros de diámetro; a los círculos le untará la mantequilla o la manteca y se los pondrá en la frente diciendo:

Cabecita, cabecita, cabeza mía ...
te conjuro por delante y por detrás.
¡Yo detengo los dolores!

Una vez terminado el conjuro, deje los círculos en su frente por unos 20 minutos más, mientras usted cierra sus ojos y trata de relajarse; transcurrido este tiempo, quítese los círculos con la mano izquierda y persignese tres veces.

¿Cómo Quitar La Tortícolis O El Cuello Torcido?

La mala posición a la hora de dormir, el viento frío o una torcedura cualquiera, pueden provocar una torcedura de cuello o tortícolis. Un excelente remedio para este padecimiento es el siguiente:

Materiales

* 1 media de mujer (si es hombre)
* 1 calcetín (si es mujer)

Para terminar con la tortícolis, tome el calcetín (o media), y enróllelo alrededor del cuello de la persona afectada, torciéndolo suavemente y repitiendo:

Vuelta que sea dada,
con media y con cuello,
no hay dolor alguno
que aguante este sello.

Una vez terminado el conjuro, apriete con el dedo pulgar de su mano derecha detrás del cuello y diga:

> Yo te sello, en el nombre de dios
> todopoderoso,
> tu padre y amigo ...

¿ Cómo Podemos Ayudar A Alguien Que Tiene Problemas Con La Vista ?

Si algún familiar o amigo tiene problemas con la vista, ya sea una infección, un aire o cualquier otro padecimiento, nosotros podemos ayudarle de la siguiente manera :

Materiales

* 1 pañuelo blanco (nuevo)
* 1 lápiz o plumón de color rojo
* 1 cajita de madera
* Aceite de Sándalo

Lo primero que debe hacer es recostarse y poner el pañuelo blanco sobre sus ojos mientras dice el siguiente conjuro :

> Pañuelo blanco de mi consuelo,
> yo necesito cumplir mi anhelo.
> Guarda mi vista, guárdala clara ...
> ¡para que pueda ver la mañana!

Cuando termine, quite el pañuelo de sus ojos, mírelo fijamente y, con el lápiz rojo, dibuje un ojo grande sobre el pañuelo, dóblelo y guárdelo en la caja de madera; esta cajita de madera, deberá estar perfumada con el sándalo. Finalmente, guárdela en un lugar oculto donde nadie la pueda ver y, de vez en cuando, échele unas gotitas de aceite de sándalo.

¿ Qué Hacer Cuando Se Tiene Problemas De Riñones O Enfermedades Sexuales ?

Cuando se diagnostican problemas de riñones, o se padecen de problemas en los órganos sexuales, usted puede ayudarse de la siguiente manera :

Materiales

* 1 juego de cartas del Tarot
* 1 espejo redondo (pequeño)
* 1 vela
* Pelusa de la mazorca del maíz
* 1 coladera (para cocina)
* Miel de abeja
* Yodo
* 1 toalla blanca limpia

Primeramente, tome el juego de cartas y coloque frente a usted la carta de la Muerte, a la derecha la del

Ahorcado y a la izquierda, la del Sacerdote; ponga el espejo detrás de las cartas, la vela del lado derecho e invoque al Gran Espíritu para que magnetice el lugar. Previamente, habrá hervido la pelusa de la mazorca del maíz en agua, cuélela y endúlcela con un poco de miel de abeja. Tome este brebaje caliente frente a las cartas mientras se observa en el espejo a la luz de la vela. Todo este ritual deberá hacerlo un viernes a las diez de la noche, repitiéndolo a la media noche. Al término de éstos, tome un baño de asiento con agua tibia mezclada con un chorrito de yodo. Finalmente, séquese con la toalla y tome el resto del brebaje mientras repite mentalmente el siguiente conjuro :

> Afuera, maleza sexual
> fuera del riñón, el dolor y el mal.

¿ Cómo Ayudar A Una Persona Que Tiene Problemas Con El Alcohol ?

Hay personas que, debido a sus problemas con el alcohol, tienden a ocasionar dificultades muy serias. Cuando estas personas no pueden dejar de beber, nosotros podemos intentar ayudarles de la siguiente forma:

Materiales

* 1 botella de ron o brandy
* Refresco de cola

* 1 botella con agua bendita de 3 iglesias diferentes de San Antonio de Padua
* 3 cirios rojos
* 1 imagen de la Virgen de Guadalupe
* Aceite de El Santísimo (se consigue en lugares especiales dedicados a la santería)

Lo primero que usted hará para curar a esta persona afectada por el alcoholismo, es hacerle una "cuba" con el ron o brandy, el refresco de cola, y dársela cuando la "resaca" de la borrachera se manifieste en el enfermo. A esta bebida añádale 24 gotas del agua bendita que consiguió en las tres iglesias, para que el paciente la beba. Anteriormente, usted habrá pasado los cirios por las tres pilas de donde haya tomado el agua bendita, llevándolos a bendecir después a una iglesia dedicada a la Virgen de Guadalupe; Después de todo esto, encienda los tres cirios rojos frente a la imagen de la Virgen de Guadalupe y repita 8 veces la Oración a La Trinidad de El Poder. Por último, dé al enfermo 8 gotas del aceite de El Santísimo 5 veces al día durante 3 meses, repitiendo cuatro veces la Oración a La Trinidad de El Poder.

¿Qué Hacer Cuando Aparecen Llagas En Diversas Partes Del Cuerpo?

Si usted conoce a una persona que de repente y sin ninguna explicación lógica, comienza a padecer de llagas en cualquier parte de su cuerpo, seguramente está siendo víctima de algún maleficio. Usted le puede ayudar si sigue al pie de la letra las siguientes instrucciones :

Materiales

* 12 veladoras blancas que tengan impresa la imagen de la Virgen de Guadalupe
* 12 pétalos de rosa roja de Castilla
* 1 pluma o plumón de tinta morada
* Aceite de Olivo bendecido en 4 iglesias diferentes dedicadas a El Arcángel San Miguel
* Agua de San Judas Tadeo

Si el enfermo no está en posibilidades de hacer el recorrido que a continuación mencionaremos, una persona que lo ame profundamente y que tenga fe ciega en esta cura, lo podrá hacer.

Lo primero que se debe hacer, es tomar las doce veladoras y ponerle, a cada una de ellas, un pétalo de rosa en el pabilo que lleve inscrito con tinta morada las iniciales del enfermo. Una vez hecho esto, se pone un chorrito de aceite de olivo sobre el pétalo de cada veladora y se llevan a doce iglesias diferentes entre las 12:45 y las 19:30 horas, prendiendo una veladora en cada iglesia a los pies de la imagen de la Santísima Virgen María.

Finalmente, en los alimentos del enfermo se pondrán 5 gotas de agua de San Judas Tadeo durante 21 días.

¿ Qué Hacer Para Combatir Sofocaciones, Asma O Enfermedades Respiratorias ?

Cuando una persona afectada por alguna enfermedad respiratoria no logra curarse con nada, el remedio puede ser el siguiente :

Materiales

* 20 velas de parafina blancas
* 12 gladiolas blancas
* 12 plumas de paloma, café
* Agua de eucalipto
* Pastillas de alcanfor
* Carbón natural
* Piedras de alumbre
* Incienso
* Petróleo

Se coloca al enfermo en medio de las velas blancas y se le pasa por todo el cuerpo el ramo de gladiolas las cuales llevarán adentro una pluma de paloma (cada una); después, se les frotará en el cuerpo un preparado de agua de eucalipto con pastillas de alcanfor y se encenderán las velas. Acto seguido, el enfermo quemará las gladiolas con el carbón, las piedras de alumbre, el incienso y el petróleo. Finalmente, guardará reposo total 3 días, y rezará 9 veces, cada 6 horas, la oración a El Arcángel Phaleg.

¿ Cómo Podemos Ayudar A Esa Persona Que Súbitamente Se Pone Furiosa Contra Todo El Mundo Y Empieza A Agredir A Quienes La Rodean ?

Muchas personas que catalogamos de mal carácter, explotan sin una razón justificada, y agreden verbal y físicamente a sus seres queridos. Esto, puede deberse a un maleficio que les han practicado algunos entes del mal, para convertir la vida del afectado en un verdadero infierno. Para poder ayudarlo, es necesario hacer lo siguiente:

Materiales

* Aceite de El Santísimo
* Aceite de El Santo Óleo
* Agua de Santa Eduviges
* 1 pulsera de piel color café
* 3 veladoras moradas

En las mañanas, y completamente en ayunas, el afectado beberá un vasito pequeño de Aceite de El Santísimo y, antes de acostarse en la noche, tomará otro vasito de Aceite de El Santo Óleo. Asimismo, tendrá como agua de uso diario (para preparar alimentos, tomar, etc.) agua de Santa Eduviges. En la pulsera de piel, llevará una plegaria de Agnus Dei, y después de confesarse y comulgar en alguna iglesia dedicada a San Gabriel, grabará las palabras *Agnus Dei*, en la parafina de las veladoras, las prenderá y repetirá 13 veces la oración a El Arcángel San Gabriel.

¿Qué Hacer Contra Esos Males Crónicos Que Nadie Puede Curar?

Cuando visitamos a un doctor por tener algún mal crónico y éste no nos puede ayudar, sino sólo controlar la enfermedad por no encontrar un remedio efectivo, seguramente algún enemigo nos está matando poco a poco. Para expulsar de nuestra existencia esta maldición, lo que debemos hacer es:

Materiales

* 1 escapulario grande de la Virgen del Carmen
* 10 veladoras de color café

El primer paso que debemos de dar es que, el paciente, escriba de su puño y letra en el escapulario la oración de las Enseñanzas de Jesús. Este escapulario lo usará diariamente y, cada tercer día, irá a la iglesia más cercana a su hogar y encenderá una veladora, repitiendo 10 veces la oración a Las Enseñanzas de Jesús, hasta que el mal crónico desaparezca.

Hechizo Para Quitarnos De Encima Todos Los Males Que Nos Afectan

Este hechizo es recomendable para protegerse de todos los males que nos hagan o quieran hacer. Si usted sigue al pie de la letra las instrucciones que aquí le daremos, tenga por seguro que nada ni nadie podrá hacerle ningún mal:

Materiales

* 2 hojas de papel blancas

* 1 olla de barro

* 1 lápiz o pluma negra

* 3 carbones

* 1 baraja española nueva

* 1 cinta de color blanco, una roja y otra azul

* 1 vela azul

* 5 granos de maíz

* 1 manojo de hierba seca del campo

* 1 fotografía de un médico (puede ser recortada de una revista)

* 1 pluma de gallina

* 1 lienzo de tela blanca

* 1 soga o mecate

* 1 ladrillo

Tome una hoja y escriba en ella con la pluma la palabra *Abracadabra;* coloque el papel dentro de la olla junto a los carbones, los cuatro ases de la baraja española, las cintas, la vela, los granos de maíz, la hierba seca, la fotografía y la pluma de la gallina; deje todo esto muy bien tapado durante toda una noche de sábado. El domingo, antes de que salga el sol, encienda la vela dentro de la olla junto con los carbones para que todo se queme. Una vez terminado el fuego, tome las cenizas y deposítelas en la otra hoja de papel, la cual llevará inscrita en ella la palabra *Abracadabra* también. Agarre la tela blanca y envuélvalo todo con ella; haga tres nudos a la soga y amarre el lienzo de tela perfectamente bien mientras repite :

> Así como difícil es zafar estas sogas
> así le será difícil entrar en mi cuerpo
> a los causantes del mal ...

Cuando termine de hacer esto, átelo al ladrillo y lleve todo a un río profundo, al mar o entiérrelo en un lugar apartado y solitario. Finalmente, vigile que el paquete no sea descubierto o visto por alguien durante 7 días y 7 noches, pues tendría que volver a empezar todo de nuevo.

Capítulo VI

Conquista Del Amor, Enamoramientos Y Desamores (ellas)

En esta parte del libro, nos adentraremos en hechizos y recetas sumamente prácticas para que ellas logren conquistar al amor de su vida. Asimismo, les daremos algunos "tips" para que el ser amado nunca las deje y siempre esté con ellas. Es conveniente informarle que, algunos de los hechizos de este capítulo, también pueden funcionar para los hombres, siempre y cuando, sigan al pie de la letra las instrucciones. Suerte.

¿ Qué Hacer Para Que Ese Hombre Tan Difícil Caiga Rendido A Sus Pies ?

Cuando se quiere conquistar a un hombre, al cual se le considera como imposible, la mujer que desee atraparlo, debe de hacer el siguiente hechizo:

Materiales

* 1 moneda de cualquier denominación (que haya estado con él durante un día, por lo menos)
* 1 medalla (que pertenezca al hombre en cuestión)
* 1 alfiler o cualquier objeto de metal (que haya estado con él durante un día, por lo menos)
* 1 botella de licor, (cualquiera)
* Canela en polvo
* Vainilla
* Pimienta
* 1 martillo
* 2 carbones

Lo primero que se debe hacer para atrapar a este hombre es, conseguir la moneda, la medalla y el alfiler. Una vez que se tengan estos objetos, invítelo a cenar o a tomar café a su casa; si es un café o té el que va a tomar, ponga en éste 2 gotitas del licor, una pizca de canela en polvo y un poco de vainilla. Acto seguido, tome los tres objetos que pertenecen a su futuro amor con la mano derecha y apriételos con fuerza, mientras, con su mano izquierda, sírvale el café o té. Si logra que su hombre acepte cenar con usted, ponga un poco de pimienta a su comida mientras la prepara, y cuando empiece a probar bocado, repita mentalmente :

> Calienta pimienta, al hombre que quiero.
> ¡Dámelo ya ... haz que me sienta,
> o por él muero!

En el remoto caso que usted no logre que vaya a tomar café o a cenar a su casa, tendrá que recurrir a fuerzas más poderosas. Piense bien antes de hacer lo que a continuación le explicaremos, ya que difícilmente podrá deshacerse de este hombre si la relación no funciona como usted desea. Hecha esta aclaración, lo que debe hacer para "amarrarlo", es ir exactamente a las 12 de la noche a una vía de ferrocarril y con el martillo dar tres fuertes golpes sobre la vía mientras tira un poco de canela en polvo al piso. Después de esto, se producirá un largo sonido el cual debe de aprovechar para decir el siguiente conjuro :

> Espíritus que habitan en el hades,
> ayúdenme a conseguir el amor de
> (*nombre de la persona deseada*)
> ¡tráiganlo rendido a mis pies,
> para que nunca me quiera dejar!

Finalmente, queme los dos carbones y déjelos arder sobre la vía del ferrocarril.

¿ Qué Debe Hacer Para Que Su Pareja Esté Siempre Locamente Enamorado De Usted ?

Lograr que su pareja piense solamente en usted y nunca deje de amarla, lo único que debe de hacer es lo siguiente:

Materiales

* 1 par de calcetines de su pareja
* Agua de azahares
* Agua de rosas
* Albahaca
* Abrecamino

Un domingo en la mañana, póngase un calcetín en el pie derecho y úselo durante toda la semana (hasta el viernes siguiente) sin quitárselo para nada. El siguiente domingo, haga lo mismo con el otro calcetín, sólo que ahora lo usará en el pie izquierdo. Una vez hecho esto, lave los calcetines con el agua de azahares, el agua de rosas y déles un baño de albahaca y de abrecamino; póngalos a secar durante dos noches a la luz de la luna, y cuando estén completamente secos, regréselos a su pareja e intente ponérselos usted misma empezando por el pie derecho; finalmente, bésela, abrácela e, inclusive, intente hacerle el amor lo más apasionadamente que pueda. Si hace esto, seguramente su pareja nunca pensará en nadie mas que usted.

¿ Cómo Lograr Que El Hombre Que Se Ha Ido De Su Vida O Esté Lejos, Regrese Con Usted ?

Cuando por diversos motivos se encuentre distanciada de su pareja, le recomendamos hacer el siguiente hechizo para que él regrese con usted:

Materiales

* 1 fotografía o prenda íntima de él
* 1 paño blanco
* Perfume (el que use diariamente usted)
* Loción (la que su pareja usa habitualmente)

Lo primero que debe de hacer, es tomar la fotografía o la prenda íntima de su pareja y llevarla con usted del domingo al viernes, sin apartarse de ella ni un solo instante. Cuando llegue el viernes, a las 12 de la noche exactamente, ponga la fotografía o la prenda íntima en el paño blanco y envuélvala bien; añádale unas gotas de su perfume y guárdelo perfectamente en un lugar que sólo usted conozca y tenga acceso. A partir de ese momento, todos los viernes saque el paño y rocíelo con su perfume y la loción que usualmente usa su pareja, esto será más que suficiente para lograr que él regrese rápidamente a su lado.

¿ Qué Hacer Cuando Su Pareja Se Fue Con Otra Mediante Un Maleficio Y Usted Quiere recuperarla ?

Cuando su pareja se ha ido con otra mujer debido a un maleficio, lo que usted debe hacer para recuperarlo es lo que sigue :

Materiales

* 1 fotografía o prenda del hombre que la dejó
* 1 trozo de lana blanca
* Hilo verde
* 1 imagen de San Antonio de Padua
* 1 veladora Luz del Santísimo, de frasco color rojo
* 1 veladora blanca de vaso, con círculos dorados
* 4 cruces trinas (pequeñas)
* 1 olla de barro

Lo primero que debe de hacer es irse a confesar y a comulgar a una iglesia llevando la foto o la prenda de su amado cerca del corazón. Después de esto, grabe en el trozo de lana las iniciales de su pareja con el hilo verde, coloque encima de esto la imagen de San Antonio de Padua.

Tome la veladora Luz del Santísimo (la cual deberá estar previamente bendecida en la mañana y en la noche en una iglesia dedicada a Jesús de Nazaret) y enciéndala, repitiendo 4 veces la oración a El Santuario Moya.

Cuando regrese su pareja, tome la veladora blanca y grabe en ella las iniciales de su compañero y ponga alrededor de ésta las 4 cruces trinas; lleve esta veladora a una iglesia dedicada al Sagrado Corazón de Jesús y enciéndala.

Finalmente, cuando regrese a su casa, queme el pedazo de lana en una olla de barro.

¿ Qué Hacer Cuando Hay Un Distanciamiento Porque Él Se Enojó Con Usted ?

Cuando su pareja se aleja debido a una discusión o enojo, lo que debe de hacer para que regrese con usted es lo siguiente :

Materiales

* 1 vaso de cristal
* 1 fotografía de su pareja
* 4 coquitos de aceite

Cuando tenga todo lo necesario, vaya a su baño a las 12 de la noche exactamente y coloque los coquitos en cada esquina de éste y enciéndalos. Al centro ponga la fotografía y encima el vaso con tres cuartas partes de agua. Póngase de rodillas, inclínese hacia el agua, ponga las manos sobre el vaso y repita el siguiente conjuro:

> Que toda la ira que sientas por mí
> se convierta en pasión y
> desesperación por verme
> yo (*su nombre*) te ordeno que vengas
> te ordeno que pienses en mí,
> te ordeno regresar y que todo tu amor
> sea solamente para mí.

Repita esta operación tres veces completamente a obscuras. Si usted está realmente concentrada, seguramente la imagen de su amado se delineará en el agua, de no ser así, repita el llamado 9 veces, empezando un viernes. Cuando haya terminado, tire todo a la basura.

¿ Cómo Lograr Que El Hombre Deseado Venga A Usted ?

Si usted desea que el hombre amado llegue a su solitaria vida, le recomendamos hacer el siguiente hechizo:

Materiales

* 1 recipiente de plástico, color rojo (nuevo)
* 3 vasos con agua
* 3 puños de tierra
* 1 cirio de cera virgen, de 30 centímetros (es muy importante que este cirio sea comprado con dinero de limosnas pedidas a hombres exclusivamente)

Lo primero que debe de hacer, es marcar el cirio cada 3 centímetros, pues como el hechizo dura 9 días, el cirio deberá de consumirse a razón de 3 cm. por día, teniendo que apagarse cuando se hayan consumido éstos. Posteriormente, fije el cirio en el recipiente muy bien, vierta el agua y la tierra y repita el siguiente conjuro :

> Alma de santa señora,
> tú que andas por calles y callejones,
> por altos y barrancones,
> tráeme a (**nombre del hombre**)
> a golpes y empujones ...

Repita esta frase tres veces mientras se consumen los tres cm. correspondientes a ese día, y hágalo 9 días hasta que la vela se consuma totalmente; después, tire el agua, la tierra y los demás restos a la basura.

¿ Cómo Puede Usted Conquistar A Su Hombre Amado ?

El siguiente hechizo hará que usted logre conquistar al hombre que desea, fácilmente, lo único que le pedimos, es que siga perfectamente las instrucciones:

Materiales

* 9 muñecos de cera roja
* Miel de abeja
* 1 alfiler nuevo

Tome un muñeco y escriba en su pecho el nombre de la persona amada con el alfiler, báñelo con la miel, préndale fuego (con cerillos) y diga muy concentrada :

Espíritu, cuerpo y alma de (*nombre del ser amado*)
por medio de este muñeco quiero que vengas rendido.
Yo te lo pido, te dominaré, te atraeré en nadie más pensarás.
Así es y será.

Repita esto tres veces mientras se consume el muñeco. Haga esta operación durante 9 días empezando un día martes. Si en algún momento se llegara a apagar el muñeco, ponga un chorrito de alcohol y vuélvalo a encender con los cerillos hasta que se consuma totalmente.

¿ Cómo Lograr Revivir La Pasión Y El Amor En Una Pareja ?

Cuando una pareja empieza a perder esa "chispa" o química que los mantenía unidos y felices, es recomendable que usted haga el siguiente hechizo antes de que se pierda la relación:

Materiales

* 7 velas rojas

* 1 pluma o plumón de tinta roja
* 1 hoja de papel blanca
* 1 candelero individual
* 1 cenicero de cristal, sin figuras o leyendas

Lo primero que debe de hacer, es dividir en 7 partes el papel blanco y cortarlo. Una vez hecho esto, un viernes de luna nueva, a las 9 de la noche, escriba con la pluma roja el nombre del hombre que quiere que regrese, el nombre de usted y la siguiente frase :

> Tú y yo permanecemos unidos
> y si nuestro amor se estuviera
> extinguiendo, la flama de esta vela me
> ayudará a iluminar tu cerebro para
> que no me dejes y continuemos juntos
> por siempre.
> Así sea, y así tiene que ser.

Después de escribir esto, en una de las siete partes de la hoja blanca, encienda la vela y prenda el papelito; déjelo que se consuma en el cenicero y coloque la vela sobre el candelero. Después de una hora, apague la vela y entierre los residuos en una maceta o en un parque. Posteriormente, tome las cenizas y láncelas en dirección de la casa de su amado. Haga la misma operación durante 7 viernes y pronto regresará a usted el amor.

¿ Cómo Hacer Que Regrese El Amor Perdido ?

Cuando una mujer pierde al amor de su vida, lo que podemos recomendarle para recuperar su amor, es lo siguiente :

Materiales

* 1 veladora de la Santísima Muerte (perfumada)
* 1 hoja de papel
* 1 pluma o plumón rojo
* Tijeras
* 1 lienzo blanco
* Agua mineral
* 1 vaso de cristal nuevo
* Sal
* Incienso de rosa musgosa
* 1 alfiler

Una noche de luna nueva, a las 11: 30 de la noche, ponga en el vaso un poco de agua mineral, unos granos de sal y meta ahí las tijeras; luego, séquelas con el trapo blanco y encienda el incienso. Pase varias veces las tijeras por el humo que despide el incienso y dibuje una cruz pequeña en el papel blanco. Tome la veladora y escriba con el alfiler el nombre de la persona amada verticalmente, y el suyo de manera horizontal (no importa si los nombres quedan encimados). Haga esto tres veces, recorte la cruz con las tijeras y póngala debajo de la veladora y repita la oración que viene impresa en la veladora. A las 12 de la noche, encienda la veladora y déjela que se consuma. Realice este ritual hasta que la persona regrese a su lado.

¿Qué Hacer Para Llamar Al Amor?

Si su vida transcurre tranquilamente, pero sin que el amor toque a su puerta, seguramente el siguiente hechizo hará que cupido llegue a su vida:

Materiales

* 7 rosas rojas
* 3 rajas de canela
* Azúcar
* 1 bote de hojalata
* 1 jabón Zote
* 3 litros de agua

Un viernes por la noche, ponga a hervir los pétalos de las rosas, la canela, una cucharada de azúcar y el agua durante 1 hora. Báñese con el jabón Zote, enjuague su cuerpo y mójelo con el agua de rosas, menos la cabeza; después, espere a que se seque solo (no use toalla). Haga esto durante 7 viernes seguidos, no falla.

¿ Qué Hacer Para Poder Dominar Al Sexo Opuesto ?

Si usted desea ejercer dominio sobre los hombres, el siguiente embrujo hará que todos los hombres sean unos "corderitos" ante usted:

Materiales

* 1 jabón Zote
* 7 rosas rojas
* 1/2 itro de loción de naranjo
* 2 litros de agua

Un viernes por la noche, ponga a hervir las rosas con el agua, hasta que ésta se reduzca a 1 litro. Deje que se enfríe un poco, hasta que esté a la temperatura que a usted más le guste; agregue la loción de naranjo, báñese con el jabón Zote, enjuáguese y lave su cuerpo lentamente con el agua de rosas mientras dice una oración (la que sea de su predilección). Finalmente, deje que su cuerpo se seque solo.

¿ Cómo Dominar A Su Pareja ?

Si usted es de las mujeres que siempre tiene que hacer lo que quiere su pareja, es momento de invertir los papeles. Siga paso a paso el siguiente hechizo, y logrará que su novio haga todo lo que usted quiera:

Materiales

* 3 velas de cera
* Azúcar
* 1 frasco de la loción que usa diariamente
* Tierra de panteón
* 1 litro de alcohol industrial

Lo primero que debe hacer es partir las velas en tres pedazos de 6 cm. cada una. El lunes en la noche, a las 12 en punto, tome la primera parte de cada vela y mójelas con su perfume; después, haga un triángulo con los tres pedazos y coloque el frasco de su loción en el centro. Préndales fuego a las velas y diga una oración que le agrade; hecho esto, diga en voz alta y con energía :

> (*Nombre de la persona*) tengo que
> verte rendido ante mí,
> no pensarás en otra mujer más
> que en mí.

El martes, ponga más loción a las velas, un puño de tierra de panteón y repita la misma operación. Cuando termine de hacer todo, guarde las velas en un lugar completamente obscuro. Al tercer día, ponga loción, 3 cucharadas de azúcar y tierra de panteón a lo que haya sobrado de las velas. Espere 6 minutos, écheles alcohol y préndales fuego mientras repite:

(Nombre de la persona) quedas ligado a mí.
Tu pensamiento estará sólo conmigo.
Además, ninguna persona te hará tan
feliz como yo.
Te ordeno que no busques a ninguna
otra mujer más que a mí.

Deje que todo se consuma completamente, evitando que quede cualquier residuo. Para acabar con todo, eche más alcohol, si es necesario, pero no debe quedar absolutamente nada de su "trabajo".

¿ Qué Puede Hacer Para Lograr Una Reconciliación Con Su Pareja ?

En toda pareja siempre nos encontramos con dificultades y pleitos que, después de hablar, generalmente se resuelven. Sin embargo, cuando la reconciliación tarda mucho en llegar, usted puede hacer lo que a continuación le mostraremos y, seguramente, la reconciliación será inminente:

Materiales

* 2 canastas de plástico pequeñas
* 1 metro de listón rojo delgado.
* 27 velas de sebo (pequeñas)
* 1 vaso blanco nuevo
* 1 fotografía donde estén usted y su pareja
* 1 novena de San Antonio

* Azúcar
* 1 hoja de papel blanco

El lunes, muy temprano, corte el listón por la mitad y forme un círculo con cada una de las partes en la base de las canastas, trenzando las dos primeras hileras y cortando lo que sobre. Dentro de una canasta, coloque la fotografía de cabeza y con la otra canasta tápela; con lo que sobró del listón, una las esquinas para que quede formado como una jaula. Hecho todo esto, diga en voz alta :

> (*Nombre de la persona*) no
> saldrás de aquí
> hasta que no regreses a mi lado,
> de lo contrario,
> estarás intranquilo y no
> tendrás un momento de paz.
> Dondequiera que te encuentres
> debes pensar
> únicamente en mí, porque yo
> te lo ordeno.

Una vez concluida esta oración, ponga el vaso con agua encima de las canastas y rece la novena de San Antonio. Al siguiente día, tire el agua en una maceta y ponga 3 velas en forma de triángulo, colocando las canastas al centro. Tome la hoja y escriba en ella su nombre con el apellido de su amado, de igual manera, escriba el nombre de él con el apellido suyo y póngalo

en las canastas; rece el segundo día del novenario, y los
días siguientes, vele las canastas con las ceras revolcadas
en azúcar. Continúe haciendo la misma rutina durante 9
días. Cuando él regrese (si lo hace antes de que pasen los
9 días, siga la rutina), usted debe decir el siguiente
conjuro :

> (*Nombre de la persona*) si te vuelves a
> disgustar conmigo,
> te pondré nuevamente en esta jaula
> que te provoca
> intranquilidad y tristeza.

Con ésto, su pareja difícilmente se volverá a disgus-
tar con usted.

¿ Qué Puede Hacer La Mujer Para Provocar Una Declaración Amorosa ?

Cuando una mujer sabe que le interesa a un caballero, muchas veces no puede esperar a que éste, le haga
una declaración de amor; sin embargo, hay ocasiones
que, debido a la timidez del hombre, esa declaración
nunca llega. El siguiente remedio, ayudará a que él, logre
declararle su amor rápidamente:

Materiales

* 1 oración de Ven a Mí o de Chuparrosa
* 1 vaso con agua

* Azúcar
* Un vaso con orina
* 1 frasco de cristal

Ponga tres cucharadas de azúcar y la orina en el vaso con agua y rece la oración que haya conseguido. Aviente el agua por el camino que recorre su amado diariamente durante 6 viernes y, en menos de un mes, la declaración llegará.

¿ Cómo Saber Si Su Novio Le Es Fiel ?

Si usted empieza a notar algo raro en su novio y no sabe qué es, intente hacer lo siguiente para saber si le sigue siendo fiel:

Materiales

* 1 fotografía de su novio
* 1 prenda íntima de su novio
* 1 vaso con agua
* 1 vela blanca
* Papel de china color amarillo
* Un kilo de cal
* Azúcar
* 1 oración de Ven a Mí ∩ Chuparrosa
* 1 caja de cartón
* 1 lápiz nuevo

Lo primero que debe de hacer, es escribir en el papel de china el nombre completo de su novio; ponga la prenda íntima en la caja de cartón, cúbralo con la cal, luego el papel de china y una cucharada de azúcar. Después, ponga la fotografía detrás de un espejo de pared, encienda la vela y rece la oración cerca del vaso con agua. Si después de hacer todo esto,le aparecen ronchas a su novio, lamentablemente le está "poniendo el cuerno".

¿ Cómo Alejar A Esa Mujer Que Nos Quiere Quitar El Novio ?

Cuando una mala mujer quiere quitarnos el novio a toda costa, lo que debemos hacer para que no siga interfiriendo en nuestra relación es lo siguiente :

Materiales

* 1 lata de refresco o cerveza encontrada en la calle
* 175 mlt. de vinagre blanco
* 175 mlt. de leche
* 1 bolsa de plástico transparente
* 1 liga

Lo primero que debe hacer, es vaciar el vinagre en el bote de refresco mientras concentradamente repite :

> Así como pongo este vinagre en el bote,
> así quiero que la relación entre
> (*nombre de la mujer*) y (*nombre de su
> novio*) se acabe

Una vez hecho ésto, vacíe la leche en el mismo bote y diga:

> Así como la leche no se lleva con el
> vinagre,
> así quiero que se agrie la relación
> entre (*nombre de la mujer*) y (*nombre de
> su novio*).

Actó seguido, meta el bote en la bolsa de plástico y séllelo con la liga; vaya al parque más cercano y entiérrelo en un lugar donde dé siempre el sol. Los resultados saltarán a la vista antes de un mes.

¿ Cómo Podemos Eliminar A Nuestra Rival De amores ?

Cuando todo parece ir maravillosamente en la relación de una pareja, nunca falta la mujer que intenta desestabilizarla para quedarse con su novio. El siguiente hechizo, eliminará fácilmente a su rival, desapareciéndola para siempre del mapa:

Materiales

* 1 frasco de cristal pequeño con tapa
* 1 hoja de papel blanca
* 1 pluma de tinta negra

Tome la hoja de papel y con la pluma escriba en ella el nombre de la o las personas que desea "desaparecer". Después, meta el papel en el frasco de cristal, tápelo muy bien y póngalo en el congelador de su refrigerador y déjelo ahí hasta que el frasco se estrelle. Cuando pase esto, su rival quedará fuera de sus vidas.

¿Cómo Lograr Que Su Novio Le Sea Fiel?

Para lograr que su pareja nunca sienta atracción sexual por ninguna otra mujer que no sea usted, lo único que debe de hacer es lo siguiente :

Materiales

* 1 Chile pasilla grande
* 1 metro de listón rojo
* 1 prenda íntima de su novio

Tome la prenda íntima de su novio y métala en el chile pasilla, después envuélvalo con el listón rojo y entiérrelo en una maceta de su jardín mientras repite en voz alta:

> No has de estar con ninguna otra mujer,
> únicamente conmigo, que soy (*diga el*
> *nombre suyo*).

¿ Cómo Ahuyentar A La Amante De Su Novio ?

Cuando una mujer se entera de que su novio tiene a "otra", siente que el mundo se le cae encima. Si usted es una de esas infortunadas, y quiere conservar a toda costa a su pareja, lo único que tiene que hacer para alejar a esa mujerzuela de su novio es lo siguiente :

Materiales

* 1 bolsa de plástico transparente
* Sal
* 3 cucharadas de tierra de panteón

Lo primero que debe hacer, es visitar 7 casas diferentes y en cada una de ellas pedir que le regalen un poco de sal, la cual deberá depositar en la bolsa de plástico. Es muy importante que usted no toque esta sal con sus manos, pues no funcionaría el hechizo. Una vez recolectada la sal, eche en la misma bolsa la tierra de panteón y revuélvala con la sal perfectamente agitando con fuerza la bolsa. Diríjase a la casa de la amante y lance la mezcla contra la puerta de la entrada y diga enojada y con fuerza:

> Esto te enseñará a dejarme en paz.
> Te irá mal por haber perturbado
> la felicidad que había en mi hogar.

Una vez hecho todo ésto, usted deberá regresar a cada casa la sal que le regalaron, de lo contrario, podría revertirse el hechizo.

Otro Remedio Para Quitarle A La Amante De La Cabeza A Su Novio

Otro remedio sumamente efectivo para alejar a la amante de su novio es el que sigue :

Materiales

* 1 copa coñaquera de cristal
* 1 de litro de alcohol
* 1 de litro de amoníaco
* 1 puño de veneno para ratas
* 1 metro de listón negro
* 1 cazuela nueva
* 1 fotografía de la amante

Ponga la fotografía en el piso; ponga la copa encima de ésta y escriba el nombre de la amante en el listón. Ponga en la cazuela el amoníaco, el alcohol y préndales fuego. Mientras vierte el veneno diga el siguiente conjuro:

> Esta mala mujer, que es (*nombre de ella*),
> tiene que dejar a (*nombre de su novio*)
> porque así lo mando yo.

Una vez hecho ésto, lance el listón al fuego y repita 13 ocasiones el mismo conjuro.

¿ Cómo Lograr Olvidar Un Amor ?

Hay ocasiones en que un amor hace tanto daño a una mujer que, lo mejor que puede hacer, es olvidarse de él para siempre. La siguiente fórmula, hará que usted olvide a ese hombre que le hizo tanto mal:

Materiales

* 1 muñeco de cera negro
* 1 alfiler
* 1 cucharada de sal negra
* 3 velas de sebo

Tome el muñeco negro y sobre el pecho escriba el nombre de la persona que quiere olvidar. Después, échele la sal negra por todos lados; acto seguido, tome las velas negras y escriba sobre éstas lo siguiente :

> Tú (*nombre de la persona que quiere olvidar*)
> tienes que alejarte para siempre de mí,
> que soy (*nombre de usted*).

Una vez hecho ésto, ponga las velas en forma de triángulo y préndalas mientras reza la oración del Retiro. Finalmente, entierre el muñeco en un panteón o en una maceta que nunca deberá regar.

Capítulo VII

Conquista Del Amor, Enamoramientos Y Desamores (Ellos)

Una vez que las mujeres tienen en sus manos el remedio para sus problemas amorosos, en este capítulo los hombres se adentrarán en los secretos de la magia para poder conquistar a la mujer de su vida. Al igual que el capítulo anterior, en éste se podrán encontrar hechizos para las damas, ya que los que aparecen en esta sección, no son exclusivos de los hombres.

Hechizo Rápido Y Sencillo Para Enamorar A Una Mujer

Este hechizo es muy sencillo y es un método muy eficaz para que esa mujer que tanto le agrada, se fije en usted y puedan empezar una bonita relación:

Materiales

* 1 cigarrillo (de cualquier marca)

* 1 plumón o pluma de tinta roja

Lo primero que usted tiene que hacer, es tomar el cigarrillo y escribir sobre éste el nombre de la mujer a la cual quiere enamorar; una vez hecho esto, enciéndalo y fúmelo 21 veces, repitiendo cada vez que lo haga :

> Así como se consume este cigarro,
> así te consumirás de amor por mí.

¿Cómo Lograr Excitar A La Mujer Deseada?

Un hechizo sumamente eficaz para encender la pasión en un ser del sexo opuesto es el siguiente :

Materiales

* 3 velas de sebo rojas
* Papel de china rojo
* Té de manzanilla
* 1 oración de El Dominante (se consigue con yerberos)
* Vellos del pubis

Un viernes por la noche, coloque las 3 velas en el piso y forme un triángulo con ellas; una vez que haya terminado, tome los vellos y envuélvalos con el papel de china. Después, ponga el té de manzanilla a hervir y deje que se enfríe. Cuando todo esté listo, encienda las velas y queme sobre ellas los vellos mientras repite la oración y menciona el nombre de la persona trabajada. Haga este hechizo durante 3 viernes y, durante ese lapso, beba el té de manzanilla en ayunas. Este trabajo no falla.

¿ Cómo Lograr Separarla De Su Amante ?

Cuando presienta que su pareja empieza a fijarse en otro, o está completamente seguro de que lo engaña, haga el siguiente hechizo para que esa tercera persona se esfume de sus vidas:

Materiales

* metro de seda blanca
* 1 vela blanca
* 7 gotas del perfume de su amada
* 7 gotas de su loción
* Cabello de la persona *trabajada*

Una noche de luna llena, haga un muñeco con la seda blanca a base de nudos; cuando confeccione la cabeza, meta los cabellos. Una vez hecho esto, encienda la vela y vele su muñeco hasta que la cera se consuma totalmente. Entre tanto, repita lo siguiente sumamente concentrado :

> *(nombre de la persona)*, es mi deseo que
> dejes al hombre que tienes
> y estés siempre a mi lado,
> porque así debe, y tiene que ser.

Al terminar, rocíe el muñeco con la loción y el perfume. Una vez que haya recuperado a su pareja, saque los cabellos del muñeco, anude tres veces uno de usted y dígale al muñeco:

> Con uno te ato,
> con dos te remato
> y con tres te domino.

Finalmente, guarde el muñeco debajo del colchón y listo.

¿Qué Hacer Para Que Ella Regrese?

Cuando una mujer, con la cual llevaba una relación estable, súbitamente lo cambia por otro, lo que usted debe hacer para que ella regrese completamente enamorada de usted es lo siguiente:

Materiales

* 1 fotografía de la mujer perdida
* 1 prenda que haya pertenecido a ella (blusa, pañuelo, etc.)

* 1 mechón de cabello de ella
* 1 plato blanco de cristal
* Tijeras
* 1 incienso perfumado
* Miel de abeja
* 1 paño rojo
* 1 paño negro
* 2 velas blancas

Cualquier día, a las 12 de la noche exactamente, vaya a un lugar donde nadie lo vea ni lo moleste. Ponga la prenda (o un pedacito si es muy grande) en el plato de cristal y, con las tijeras, recorte en pequeños pedazos el mechón de pelo, depositándolos sobre la prenda. Una vez hecho ésto, ponga la fotografía frente al plato, encienda las velas y diga en voz alta :

> Que mi pensamiento no te deje en paz..
> ¡y te haga regresar
> rendida de amor a mis pies!

Después de hacer tres veces el conjuro, tome la prenda, el pelo y quémelos con una de las velas diciendo:

> Tú (*nombre de la mujer*),
> que te fuiste de mi lado,
> ¡volverás loca de amor por mí!

Mientras dice ésto también en voz alta, siga quemando la prenda y el pelo con la otra vela; hecho esto, apague las velas con el plato y deje todo en la misma posición. Tome el incienso y quémelo; acto seguido, tome la fotografía con la mano izquierda y frótela contra su pecho, estómago y genitales. Después de ésto, ponga unas gotas de miel de abeja sobre la fotografía sujetándola con la mano derecha y, mientras hace ésto, diga el siguiente hechizo :

> Volverás deseosa a mis brazos y
> a mis besos;
> volverás fogosa y ardiente ...
> ¡y nunca más te alejarás de mi lado!

Una vez terminado el conjuro, coloque nuevamente la fotografía en su lugar y apague las velas con los dedos, no sople. Tome el paño rojo y envuelva las velas, mientras con el negro, envuelva el plato y la fotografía, colocándolo debajo de su cama en una de las esquinas de los pies. Tres días después, repita todo exactamente igual, y continúe cada tres días, hasta que las velas se hayan consumido totalmente.

¿ Cómo Atraer A Una Mujer ?

Si alguna mujer le interesa mucho y quiere que se fije en usted, le recomendamos hacer el siguiente hechizo:

Materiales

* 3 monedas plateadas de cualquier denominación

* Agua bendita de iglesia

* 1 rama de albahaca

* 1 rosa o clavel rojo

* Miel de abeja

* Maíz en grano o arroz

Un domingo, antes de que salga el sol, saldrá a su jardín o irá a un parque con todo lo que le indicamos. Una vez ahí, a la hora en que el sol empiece a salir, abrirá los brazos hacia el astro y dirá :

> Buenos días, hermano sol.
> Tú que todo lo ves al dar la vuelta a la tierra,
> quiero que me busques a mi amada
> (*nombre de la mujer*),
> y la traigas a mí.
> Quiero que hoy, cuando ella vaya a comer,
> deje de comer para que piense en mí;
> quiero que esta noche, cuando vaya a dormir,
> deje de dormir para que piense en mí;
> quiero que no pueda hacer nada si no
> piensa antes en mí.
> Quiero que venga a mí ...
> y que me ame con la misma intensidad
> con que yo la amo hoy.

Al terminar la oración al sol, haga un reverencia y echará en la tierra las monedas, un poco de agua bendita, la rama de albahaca, la flor roja, un poco de miel de abeja y los granos de maíz. Finalmente, retírese del lugar caminando hacia atrás, mirando al sol y agradeciendo a este su acogida. Repita este hechizo a los 7 días.

¿ Cómo Lograr Olvidar A Esa Mujer Que Tanto Mal Le Hizo ?

Si el recuerdo de un amor lo persigue y no lo deja buscar otra relación, usted tiene que olvidarla pronto, y para eso es el siguiente hechizo :

Materiales

* 1 hoja de papel blanco
* Tijeras
* 1 vasija
* Harina de trigo o de maíz
* Agua

Lo primero que debe de hacer, es escribir en la hoja el nombre de la o las personas que no supieron valorarlo y apreciar su amor; recórtelo en pedacitos muy pequeños y deposítelos en la vasija. Agregue a esta vasija un puño de harina y agua; mezcle todo perfectamente hasta formar una masa, la cual va a colocar en el congelador de su refrigerador. Déjela ahí una semana y, cuando esté

completamente congelada, tírela a la basura. Seguramente, cuando la tire, no sabrá ni para qué hizo esa masa.

¿ Qué Hacer Para Que Deje A Su Hombre Y Lo Ame A Usted ?

Cuando esté perdidamente enamorado de una mujer
que, desafortunadamente, ya tiene una relación con otro
hombre, lo que debe de hacer es ésto :

Materiales

* 2 hojas de papel amarillo

* 2 cajitas negras

* 2 velas negras

* 1 vela blanca

* 2 dados

* Agua destilada

* 3 monedas de cobre

* 1 girasol

* 1 paloma blanca

* Perfume de sándalo

Un jueves cualquiera, tome las hojas amarillas y
escriba, en una de ellas, el nombre de la mujer que usted
ama, y en el otro, el del hombre con quien su amada tiene
la relación. Meta las hojas en las cajitas negras (una en
cada una) y a las 11 de la noche, vaya a un lugar solitario.

Entierre las dos cajitas, prenda las velas, lance los dados y écheles el agua, una vez hecho ésto, aviente las monedas y el girasol en el lugar donde enterró las cajitas y diga el siguiente conjuro :

Deja a ese hombre
(*nombre de la mujer*)... ¡y ven hacia mí!
a partir de este momento, no podrás
vivir sin mí ...
por el arte del encantamiento de
Sabul y Ludub ...

Finalmente, tome la paloma con su mano derecha, échele unas gotas del perfume de sándalo y déjela volar libremente; esta paloma simboliza la libertad de su amada, por lo cual le recomendamos no maltratarla. Repita el hechizo a los 7 días a la misma hora.

¿ Cómo Lograr Ser El Primer Hombre En La Vida De Una Mujer Virgen ?

Lograr ser la primera experiencia en una mujer virgen no le resultará tan complicado como usted se imagina; simplemente siga al pie de la letra el siguiente hechizo :

Materiales

* 1 hoja de papel color rosa
* 1 saquito de terciopelo o algodón rosado

* Perfume de sándalo
* Aceite comestible
* 1 pañuelo blanco
* 1 talismán de amor
* Incienso
* Pétalos de rosas blancas
* Ramas de albahaca
* Menta
* 1 espejo

Escriba el nombre de la mujer virgen en el papel rosado, dóblelo 3 veces, métalo en el saquito, échele 3 gotas del perfume de sándalo y 7 del aceite. Una vez que termine, colóquelo dentro del pañuelo blanco, amárrelo y diga :

> Vendrás a mí por este conjuro...
> ¡por este hechizo, fuerte y seguro!

Seguidamente, doble el pañuelo muy bien, poniéndolo dentro del saquito, coloque encima de éste el talismán y queme el incienso. Después de ésto, ponga en la bañera el agua de flores blancas, ramas de albahaca, menta y dése un baño. Cuando se eche el agua en el cuerpo, diga lo siguiente :

> El agua y las flores a la virgen
> reclaman,
> que venga a mi cuerpo con su belleza...
> ¡que venga a mi cuerpo a dejar su
> pureza!

Cuando termine de hacer ésto, recuéstese completamente desnudo en dirección hacia el Este, ponga el saquito a sus pies y diga :

> Bajo mi poder está la virgen pura;
> ella viene a mis brazos, llena de
> locura ...
> de amor por mis besos ...
> y por mis deseos.

Finalmente, guarde el saquito en una esquina de su habitación escondido detrás de un espejo.

¿ Cómo Puede Un Hombre Maduro Conquistar El Amor De Una Bella Joven ?

Hay ocasiones en las que el hombre, maduro y con vasta experiencia, no logra llamar la atención de las jovencitas. Si usted se encuentra en esta situación, el siguiente hechizo le ayudara a conquistar el amor de esa jovencita que tanto quiere:

Materiales

* Agua de rosas

* Albahaca

* Flores blancas

* 1 vasija de porcelana

* Aceite mineral

* Agua de colonia

* Miel de abeja

* 2 rajitas de canela

* 1 cinta de color azul

* 1 fotografía de la joven amada

Un día de luna llena, dejará de bañarse por 2 días (solamente se aseará). Al segundo día, coloque las flores y las yerbas en la vasija de porcelana, échele 3 gotas de aceite mineral, agua corriente, agua de colonia, 1 cucharada de miel de abeja y las rajitas de canela. Cuando todo se haya mezclado perfectamente, dése un baño con esto y mientras lo vierte por su cuerpo repetirá :

> Venus, diosa del amor ...
> ¡ayúdame por favor!

Después de repetir 3 veces este conjuro, coloque en alto un ramo de flores blancas atadas con la cinta azul y dedíqueselas a la Diosa Venus. Coloque junto a las flores la fotografía de su amada; mientras realiza todas estas operaciones, debe permanecer completamente desnudo. Cuando termine, dése un baño como lo hace todos los días. Finalmente, y mientras dure la luna llena, usted deberá colocar una flor blanca diferente cada día en su ofrenda a Venus y, cada vez que lo haga, repetirá lo siguiente :

> Venus, diosa del amor
> ¡ayúdame por favor!

¿ Cómo Lograr Que Su Relación Con Su Amada Se Haga Más Fuerte ?

Cuando su relación con la mujer que ama se va desgastando, usted puede hacer el siguiente hechizo y, rápidamente, logrará que ésta se haga más fuerte y, por consiguiente, sea más duradera:

Materiales

* 1 vaso de cristal
* Azúcar blanca
* 1 fotografía de su amada
* 1 cuchara chica

Una noche de luna creciente, ponga encima de la fotografía el vaso con 3 cuartas partes de agua y una cucharada de azúcar y diga fuerte :

> (*Nombre de la mujer*) que todo sea
> dulzura y ternura
> en nuestra relación.
> Terminarán los conflictos entre
> nosotros.
> (*Nombre de la mujer*) cada día me
> querrás más.

Una vez hecho esto, mueva con la cuchara el azúcar hasta que se disuelva perfectamente. Mientras tanto, siga repitiendo el conjuro. Al terminar, tire el agua en un jardín o en una maceta, nunca lo tire en una coladera o en el caño.

¿ Cómo Lograr Conquistar A La Mujer Deseada?

Para conquistar a las mujeres, hay ocasiones en que las rosas y frases bonitas y románticas no son suficientes, por lo cual, muchas veces se necesita un poco de ayuda como la que a continuación le presentamos :

Materiales

* 1 vela rosa
* Azúcar
* 1 lápiz nuevo
* Agua bendita de cualquier iglesia

Durante una noche de luna nueva, rocíe la vela con el agua bendita y marque 4 cruces con la uña de su dedo índice derecho cerca del pabilo mientras repite :

> En nombre de Dios padre,
> en nombre de Dios hijo,
> en nombre de dios espíritu santo,
> tú no eres una vela, eres el cuerpo,
> espíritu y alma de
> (*nombre de la mujer*).

Después de ésto, encienda la vela y diga sumamente concentrado :

> (*Nombre de la mujer*),
> tú únicamente estarás conmigo,
> (*nombre de la mujer*),
> tus pies caminaran únicamente hacia mi hogar.
> Evitarás a las personas que desean conquistarte;
> (*nombre de la mujer*),
> tu amor, cuerpo, espíritu y pensamiento me pertenecen sólo a mí que soy (*diga usted su nombre*).

Finalmente, rece su oración favorita y deje la vela encendida durante 7 minutos. Realice toda esta operación diariamente hasta que la cera se consuma en su totalidad.

¿ Cómo Lograr Ser Inolvidable En El Corazón Y Pensamiento De Una Mujer ?

Cuando usted quiera permanecer en el pensamiento y en el corazón de una mujer, todo lo que debe de hacer es lo siguiente :

Materiales

* 7 sobres de sal roja (se consigue con yerberos)
* 1 litro de agua bendita (que no sea la de San Ignacio de Loyola)
* 1 frasco con tapa (nuevo)

Mezcle perfectamente en el frasco nuevo el litro de agua y la sal, el primer día de luna creciente; una vez hecho ésto, vaya a la casa de la persona amada y haga una cruz por donde pase diariamente esta persona con un poco del agua, repitiendo muy concentrado lo siguiente :

> (*Nombre de la mujer*) tú jamás me olvidarás
> porque soy el amor de tu vida
> y estaremos ligados por siempre.
> Nadie se opondrá a nuestro amor,
> y a quien intente separarnos le irá muy mal.

Siga haciendo esto todo el tiempo que dure la luna creciente.

¿ Cómo Despertar Una Loca Pasión En Ella?

Para lograr despertar una enorme pasión en la mujer que usted tanto ama, debe seguir paso a paso el siguiente hechizo:

Materiales

* 1 hueso de pavo (pequeño)
* 1 cono de cartón para hilos
* 7 semillas de cilantro
* 7 pétalos de rosas rojas
* 1 pliego de papel de china color rojo

Ponga dentro del cono, el hueso de pavo, las semillas, los pétalos y envuélvalos con el papel de china; una vez hecho ésto, póngalo dentro de su almohada y déjelo ahí. Todo lo tiene que hacer la primera noche de luna nueva.

¿ Cómo Dominar En Cuerpo Y Alma A La Mujer Amada ?

Para que usted pueda ejercer un dominio en la mente, corazón y cuerpo de la mujer amada, lleve a cabo el siguiente hechizo:

Materiales

* 2 paquetes de cera de campeche

* 1 caja de cerillos de madera

* 3 velas de sebo rojas

* 1 frasco de vidrio nuevo

* Su primera orina de algún día viernes

* 1 plato de cristal blanco nuevo

* 1 muñeco

Un viernes, antes de que caiga la noche, haga un muñeco con la cera y póngalo sobre el plato. Coloque las velas alrededor del plato en forma de triángulo, tome un cerillo, haga una cruz con éste sobre cada vela, enciéndalas y diga concentrado :

Este muñeco no es un muñeco,
es el cuerpo de (***nombre de la mujer***).

Repita esta frase hasta que las velas se consuman completamente; después de esto, ponga la orina en el frasco y, en ella, el muñeco y diga:

Tú (***nombre de la mujer***) tienes que
unirte a mí,
que soy (***diga usted su nombre***),
de la misma manera que los cuatro
elementos están juntos,

tú tienes que estar junto a mí.
Que tu espíritu se una a mí
por las virtudes del fuego, agua,
aire y tierra.
así como el sol envía a la
tierra sus rayos,
así debes estar junto a mí, de lo
contrario,
perderás las ganas de comer,
beber y estar feliz,
porque sólo conmigo estarás en paz.

Una vez terminado ésto, grítele 13 malas palabras y finalice diciendo :

No te sacaré de aquí hasta que me
busques,
para estar toda la vida conmigo.

Por último, guarde el frasco en un lugar obscuro y todos los días, ordénele regresar con mucha energía.

¿ Cómo Lograr Que Ella Siempre Piense En Usted ?

Para lograr que su novia no tenga en la mente a otro hombre que no sea usted, lo único que debe de hacer es lo siguiente:

Materiales

* 21 veladoras lisas blancas
* 1 cuchillo nuevo
* Miel de abeja
* Canela en polvo
* 1 lápiz nuevo
* Cerillos de madera

Tome una veladora y, con el lápiz, escriba sobre ésta el nombre de la persona amada verticalmente y el suyo horizontalmente. Después, pique la veladora varias veces con el cuchillo mientras dice el siguiente conjuro :

> (*Nombre de la mujer*) quieta no has
> de estar
> y no podrás quitar mi imagen de tu
> mente.

Al terminar, unte la miel y la canela en la veladora y enciéndala con los cerillos de madera; repita la oración y déjela que se consuma. Durante 21 días haga la misma operación.

Capítulo VIII

Hechizos Para El Matrimonio

Esta parte del libro se dedicará exclusivamente a hechizos y embrujos para el matrimonio. Encontrará desde recetas para los que se quieren casar, hasta para los que tienen dificultades o los que quieran mantener estable su unión. Es muy importante que todos los hechizos que haga, los realice de manera seria y completamente convencido de que van a funcionar, pues esta, es la única manera de que las Fuerzas Superiores tomen en cuenta sus peticiones. Los primeros 6 hechizos, tienen como finalidad que su pareja se decida a casarse con usted. Cada uno de éstos, es sumamente efectivo para que la boda se lleve a cabo. Usted podrá escoger el que más le agrade o le convenga. Mucha suerte.

Hechizo 1

Cuando usted ha llevado un noviazgo estable y feliz, pero por diversas razones, su pareja rehuye a la boda, usted puede hacer que él o ella se decida y se case con usted:

Materiales

* 1 fotografía de la persona amada
* 1 muñeco de cera blanco
* Miel de abeja
* Canela molida
* Pimienta dulce molida
* 1 prenda de la persona amada
* 1 metro de listón rojo ancho
* 3 alfileres
* 1 pluma o plumón de tinta roja

Tome el muñeco y escriba sobre su pecho el nombre de la persona amada. Ponga la fotografía sobre la cara del muñeco y encájele los 3 alfileres en forma de triángulo. Una vez hecho ésto, diga con mucha concentración:

(Nombre de la persona amada),
te ordeno casarte conmigo que soy
(diga usted su nombre)
así como atravesé estos alfileres,
así quiero que mi vida atraviese la tuya.

Después de ésto, mezcle 3 cucharadas de miel, 3 cucharadas de la canela y 3 cucharadas de la pimienta dulce, untándosela al muñeco, para luego envolverlo con la prenda de su amado (a). Escriba en el listón rojo, con la pluma roja, el nombre de su pareja con el apellido de usted; forre el muñeco (con todo y prenda) con el listón y entiérrelo en la cabecera de una tumba de un familiar suyo, al cual le pedirá ayuda para que este matrimonio se lleve a cabo.

Hechizo 2

Materiales

* 1 veladora roja de chuparrosa
* 1 espejo nuevo
* 1 vaso de cristal con agua
* 1 fotografía de la persona amada
* 1 paño rojo

Una noche cualquiera, acueste el espejo en algún mueble, ponga la veladora detrás de éste y enciéndala; ponga la fotografía recargada en el espejo de cabeza, a manera de que se vea derecha en el reflejo, y ponga al centro del espejo el vaso con agua; una vez hecho todo ésto, inclínese hacia el vaso y repita suavemente durante 10 minutos:

(*Nombre de la persona amada*) , soy
(*diga usted su nombre*) quien te llama.
Quiero que me escuches y te identifiques.

Una vez que termine de decir la frase anterior en el tiempo indicado, durante otros 10 minutos repita el siguiente conjuro como si estuviera tratando de convencer a la persona amada:

> (*Nombre de la persona amada*),
> yo quiero que te cases conmigo,
> porque soy la (el) única (o) mujer
> (hombre)
> que realmente te conviene.

Cuando haya terminado lo anterior, durante otros 10 minutos, a manera de orden, y con mucha energía, repita:

> (*Nombre de la persona*),
> ¡quiero que te cases conmigo,
> porque así debe ser!
> ¡no amarás a nadie más que a mí!

Finalmente, envuelva el espejo con el paño rojo y guárdelo en un lugar que sólo usted conozca y al cual tenga acceso. Todo este hechizo se debe hacer diariamente durante un mes, y cuando haya terminado, seguramente estará haciendo los arreglos para su boda, así que tome el espejo, rómpalo y tírelo a la basura.

Hechizo 3

Materiales

* 1 plato hondo de cristal blanco
* 1 vela de sebo blanca
* 1 taza con agua
* 1 fotografía de la persona amada
* 7 gotas de loción Siete Machos o del perfume que usted use

Cualquier día de la semana, fije la vela en el centro del plato, vacíe la taza de agua y ponga en ella la fotografía; vierta la loción, encienda la vela y diga con mucha fe el siguiente conjuro :

En el alto nombre de mi padre santísimo,
así como me ves en esta agua, así te verás
y si no vienes te hundirás (*nombre de la
persona amada*).
Así como corre el agua en los ríos y riachuelos,
así vendrás hacia mí para casarte conmigo,
de lo contrario te hundirás.

Al finalizar el hechizo, tire el agua del plato en un parque o en alguna maceta de su jardín.

Hechizo 4

Materiales

* 7 metros de listón rojo delgado
* 1 fotografía de la persona amada
* 1 trusa o pantaleta sucia de la persona amada
* 1 imagen de San Antonio
* 7 veladoras rojas o blancas
* 1 oración de San Antonio
* 1 pluma o plumón de tinta roja
* Tijeras

Tome el listón, y con la pluma roja, escriba 7 veces su nombre con el apellido de la persona amada. Después, corte con las tijeras, y en forma de círculo, el centro de la prenda de su amado (a). Acto seguido, ponga la fotografía frente a la imagen de San Antonio, y sobre ésto, la parte de la prenda que cortó. Con el listón, amarre todo formando una cruz. Una vez hecho ésto, rece la oración y encienda una veladora; cuando acabe de consumirse, encienda inmediatamente otra. Este hechizo se lleva a cabo durante 9 días seguidos.

Hechizo 5

Materiales

* 1 cebolla morada
* 1 betabel, del mismo tamaño que la cebolla
* 1 fotografía de usted
* 1 fotografía de la persona amada
* 7 metros de listón rojo ancho
* 1 cuchillo nuevo

Lo primero que debe de hacer, es cortar con el cuchillo la cebolla y el betabel exactamente por la mitad. Una vez hecho esto, escriba en las fotografías el nombre de usted con el apellido de la persona amada y el nombre de ésta con los apellidos de usted. En seguida, ponga una fotografía en el centro del betabel y otra en el de la cebolla, procurando que la fotografía de usted quede encima de la de la persona amada. Después, amarre con el listón rojo las dos mitades y entiérrelo todo en su jardín. Mientras hace esto, diga el siguiente conjuro:

> Así como uní el betabel con la cebolla,
> así quiero que te unas a mi vida,
> porque ya nos pertenecemos
> y jamás nos separaremos.

Finalmente, usted debe de regar diariamente el lugar donde enterró su *"trabajo"*. Si en mes y medio se logra dar una planta en ese lugar, su boda ésta muy próxima, de lo contrario, repita todo el hechizo.

Hechizo 6

Materiales

* 1 rama de albahaca
* 7 gotas de su loción predilecta
* 1 florero

Coloque el florero en un lugar de su habitación, preferentemente cerca de una ventana; ponga en él la albahaca perfectamente impregnada de la loción y diga convencido (a) el siguiente conjuro :

> Albahaca, eres más fuerte que todos los fuertes;
> tan fuerte como la sangre de cristo
> que fue extraída de su corazón.
> Con tu fuerte olor dominas el corazón de un león.
> Cuando te pida ayuda, albahaca,
> debes acudir con tus secretos y con tu gran olor
> para vencer a (*nombre de la persona Amada*),
> y no has de dejar de ejercer tu acción
> hasta que se case conmigo.
> El todopoderoso sabe que ningún mal le deseo,
> todo lo contrario, mi intención es consagrar
> mi amor purificado para él
> (*ella*), por eso,
> con la ayuda tuya, albahaca,
> los días del misterio, miércoles y viernes,
> lo llamaré para que venga a casarse
> conmigo.

Una vez terminado ésto, rece 3 avemarías durante 9 días. Es muy importante que la albahaca no se marchite, de hacerlo, cámbiela inmediatamente.

¿ Cómo Puede Una Mujer Soltera Conseguir Novio Y Casarse Con Él Inmediatamente ?

Cuando una mujer soltera no tiene novio, pero tiene el gran anhelo de casarse pronto con alguien, lo que debe de hacer, es seguir al pie de la letra el siguiente hechizo:

Materiales

* 1 estampita de San Antonio
* Flores rojas (rosas, claveles, etc.)
* Aceite mineral
* Miel de abeja
* Canela en polvo
* 1 hojita de laurel

Lo primero que hay que hacer, es colocar la estampita de San Antonio en un rincón·de su habitación junto a las flores rojas, rezándole 9 noches seguidas 1 Padre Nuestro y 2 Avemarías. Una vez terminado ésto, levántese antes de que salga el sol y, completamente desnuda, deje que el astro rey le dé en todo su cuerpo mientras dice lo siguiente:

> ¡Oh sol, oh sol..
> mándame pronto un amor!

Después de este ritual, entre al baño y ponga 2 gotas de miel y una pizca de canela en polvo en el aceite mineral; dése un buen masaje con este ungüento, frótese después con una hojita de laurel y tome un buen baño, repitiendo en la noche toda la operación. Repita el ritual cada 9 días hasta que surja el prometido. Es muy importante que, en cuanto aparezca el candidato, suspenda el hechizo, pues de lo contrario, lo ahuyentará.

¿Qué Hacer Con El Novio Que Nada Más Está Dando Largas A La Fecha De La Boda?

Cuando una mujer tiene un novio que cuando se habla de boda le dice que sí, pero no le dice cuándo, lo mejor que puede hacer para "obligarlo" a casarse, es lo siguiente :

Materiales :

* 1 fotografía del novio indeciso o una prenda íntima de él
* 1 cordón rosado
* 1 vaso de cristal transparente
* Agua fresca
* Sal
* 1 estampita de San Antonio

Lo primero que hay que hacer, es colocar la fotografía o prenda íntima del novio debajo de la almohada de su cama; acuéstese del lado izquierdo y átese el cordón rosado a la cintura. Debajo de la cama, exactamente donde está la almohada con la fotografía, ponga el vaso con agua y déjelo ahí 3 días y 3 noches, sin que nada ni nadie lo toque. Pasado este tiempo, humedezca sus labios y póngales sal; después de ésto, bese la foto de su novio varias veces y colóquela en algún rincón oculto de su hogar junto a la estampita de San Antonio.

¿Cómo Lograr El Matrimonio En Corto Plazo?

Cuando el matrimonio se niega llegar a su vida, algo que usted puede hacer para que éste toque a sus puertas muy pronto, es lo siguiente :

Materiales

* 1 pedazo de piel de víbora
* 7 rosas rojas

Un viernes de luna nueva, siéntese en su cama y tome con sus manos la piel de víbora; coloque frente a usted las flores, dándoles pases mágicos con la piel durante 7 minutos, mientras piensa muy concentrada (o) en su novio (a). De hecho, imagine a su amado (a) frente a usted. Una vez hecho ésto, diga en voz alta :

(Nombre de la persona amada),
te casarás conmigo en un mes

Al día siguiente, regale las flores al ser amado, ordenándole mentalmente:

> (**Nombre de la persona amada**),
> por el bien de los dos,
> te casarás conmigo en un mes
> y nadie podrá separarnos.
> Tienes que obedecerme
> porque soy más fuerte que tú.

Finalmente, guarde la piel de víbora en un lugar secreto que sólo usted conozca.

¿Cómo Puede Conocer Las Letras Iniciales De Su Futuro Esposo?

Existe un hechizo mediante el cual, de manera muy fácil, usted podrá saber cuáles son las letras iniciales de su futuro esposo:

Materiales

* 1 pañuelo blanco
* Agua

Lo primero que debe de hacer, es pedirle a un hombre, amigo o pariente, un pañuelo blanco prestado; cuando lo consiga, durante la última noche de abril, lávelo perfectamente con agua. Una vez hecho ésto, acarícielo varias veces con la mano izquierda, extiéndalo al pie de una ventana por la cual puedan entrar los rayos de la luna y repita el siguiente conjuro :

> Luna, gran madre de todas las cosas
> ¡oh gran promotora de la
> energía vital!
> sé propicia en esta operación como lo
> pido yo,
> una hija tuya en este mundo.

Al terminar el conjuro, deje ahí el pañuelo y vaya a dormir. A la mañana siguiente, aparecerán las iniciales de su futuro esposo en forma de arrugas sobre el pañuelo.

¿ Cómo Puede Ver En Sueños A Su Futuro Cónyuge ?

Si usted desea realmente saber quién va a casarse con usted, el siguiente hechizo, a base de un pastel, le revelará mediante un sueño, la identidad de su futuro esposo :

Materiales

* Los ingredientes necesarios para hacer el pastel
* 1 cazuela de barro
* 1 cuchara de madera
* 1 amiga cercana interesada en el hechizo

Para que este hechizo funcione, es muy importante que usted y su amiga se dividan los gastos de los ingredientes necesarios, así como el trabajo a la hora de hacer el pastel. Otro detalle muy importante es que, mientras estén haciendo el pastel, no deben hacer mucho ruido ni tampoco hablar o reírse. Una vez aclarado ésto, lo que deben de hacer es, primero, comprar los ingredientes para el pastel, la cazuela, la cuchara y todo lo necesario. Cuando tengan todo, empiecen a elaborar el pastel entre ambas, compartiendo todas las actividades al 50 %. Después de batir, engrasar y hornear el pastel, sáquenlo del horno y divídanlo, tomando cada quien una mitad del pastel. De la mitad de sus pasteles, corten una rebanada y pónganla debajo de sus respectivas almohadas, guardando el resto en un lugar obscuro. Durante la noche, tendrán un sueño mediante el cual, verán a su futuro esposo; de no ser así, corten otra rebanada de su mitad y vuelvan a colocarla debajo de su almohada en la noche. Esto, no debe de ser necesario, pues generalmente, una sola vez es suficiente.

Hechizo Para Asegurar Su Boda El Último Día Del Año

Cuando usted esté a punto de casarse, o lleva un noviazgo demasiado largo sin ver nada seguro, no le caería mal asegurar su boda mediante un pequeño hechizo la última noche del año ¿verdad?. Siga al pie de la letra los siguientes pasos, y no habrá nada ni nadie que pueda suspender su enlace matrimonial:

Materiales

* 1 de kilo de azahares
* 21 rajas de canela

El día 31 de diciembre, a las 10:30 de la noche, ponga los azahares y las rajas de canela a hervir en agua, y al faltar 10 minutos para las 12 de la noche, dése un baño con jabón neutro y enjuáguese. Al terminar, mójese el cuerpo con el agua de azahares y repita muy concentrada :

> Matrimonio, ven, ven, ven
> me casaré con (*nombre de la persona*
> *amada*),
> y seré muy feliz para toda la vida.

Al término de esto, deje que su cuerpo se seque solo. Finalmente, vaya con los suyos y disfrute el año nuevo, pues pronto verá los buenos resultados de este hechizo.

¿ Qué Hacer Para Que La Boda Se Realice Felizmente Y Sin Contratiempos ?

Cuando usted está a punto de contraer matrimonio, no falta quien, por envidias o celos, intente echarle a perder ese día tan especial. El siguiente hechizo, es para que usted no se preocupe de nada, y para que su boda sea la mejor del mundo:

Materiales

* 1 rosario
* 1 ramo de flores blancas
* 3 velas blancas
* 1 fotografía de usted
* 1 fotografía de su pareja
* 1 vaso de cristal
* Pétalos de rosas blancas
* Colonia de sándalo

Lo primero que debe de hacer un sábado (7 semanas antes de la fecha de su boda), es ir a la iglesia donde se va a casar y llevar un rosario. Cuando esté ahí, imagínese que se está casando y rece 3 Padre Nuestros y 3 Avemarías, pidiendo protección para su boda a Dios Padre y a la Madre Divina. Cada sábado que siga, irá a diferentes iglesias repitiendo el mismo ritual; el sábado anterior a su boda, regresará a la iglesia que visitó primero y al terminar, deje el rosario en las manos de la Virgen María, enciéndale las velas y déjele las flores blancas. De igual manera, 7 días antes del enlace, ponga un vaso con agua y dedíqueselo al Gran Espíritu durante una noche; tome su fotografía y la de su pareja, póngala junto al vaso con agua y échele los pétalos de rosas. Una vez hecho ésto, eleve el vaso cada noche y diga el siguiente conjuro:

> Agua de rosas, agua santa ...
> agua limpia de todo mal ...
> quiero que hagas de mi boda santa,
> ¡y que me guardes de todo mal!

Durante la séptima noche, vacíe el agua en un florero con flores y rocíe las fotografías con la colonia de sándalo.

¿Qué Hacer Para Recibir Muchos Regalos El Día De Su Boda?

Un hechizo sumamente eficaz para que en su boda no falten los regalos y el dinero, es el siguiente :

Materiales

* Harina para pastel
* 1 recipiente grande
* 1 tableta de levadura
* Agua
* Aceite de oliva
* Sal
* 3 monedas doradas o plateadas
* Granos de maíz
* Hojas de laurel
* 1 paño blanco
* Varias cintas de diferentes colores

Ponga en el recipiente el agua, la levadura y déjelos hervir, disolviendo la levadura. 10 minutos después, integre la harina y déjelo reposar 20 minutos. Una vez transcurrido este tiempo, agregue el aceite de oliva, la sal y amase todo muy bien. Después, métalo al horno y déjelo ahí media hora. Una vez hecho el pan, pártalo en tres partes iguales y cómase la primera; la segunda colóquela detrás de la puerta principal de su casa y la tercera debajo o junto al horno de su cocina. Déjelos ahí toda la noche y no deje que nadie los toque. Al día siguiente, tome el trozo que dejó en la puerta y colóquelo junto al de la cocina. En la mañana del tercer día, tome los dos trozos y córtelos en pequeños pedazos, mézclelos con las monedas, los granos de maíz, las hojas de laurel y envuelva todo con el paño blanco; al finalizar esto, amárrelo perfectamente con las cintas que haya conseguido. Tome todo y dé 3 vueltas por toda su casa (recorriendo cuartos, baños, sala, etc.) sin hablar con nadie. Finalmente, préndale fuego al *"trabajo"* y entierre todas las cenizas al pie de un árbol sano y frondoso.

¿Cómo Evitar Futuras Dificultades En Su Matrimonio Durante La Luna De Miel?

Cuando usted haga sus planes para la luna de miel, dígale a su pareja que le gustaría ir a una playa, pues en ésta, podrán realizar juntos un hechizo muy bueno para que, en su futura vida como pareja, no vayan a tener ningún problema serio, que los lleve a la ruptura o separación total:

Materiales

* Una playa
* Mucha fe

Una vez instalados en su hotel, vayan a la playa y memoricen la siguiente oración :

> Que todo lo malo y lo negativo
> se aparte de nosotros dos (*digan sus*
> *nombres*)
> no habrá problemas que como pareja
> no podamos vencer.
> Nuestras vidas estarán unidas
> para siempre,
> y nada ni nadie podrá separarnos,
> solamente dios.
> De nuestra palabra el poder debe ser así.

Una vez dominada esta frase, entren al mar y salgan de él en 7 ocasiones, repitiendo cada vez, y con mucha concentración, esta frase mágica.

¿ Cómo Obtener Paz Y Felicidad En Su Matrimonio ?

Para evitarse problemas durante su matrimonio, le mostraremos un hechizo muy efectivo y muy sencillo:

Materiales

* 1 cirio azul
* Miel virgen
* 1 lápiz nuevo

Tome el cirio y escriba con el lápiz, comenzando por donde está el pabilo, su nombre y el de su pareja. Una vez hecho ésto, unte el cirio con la miel, enciéndala y diga lo siguiente:

> (*Nombre de su pareja*), tú y yo seremos
> felices
> siempre tendremos paz y amor
> la ira no cegará nuestras mentes
> y ambos evitaremos las discusiones
> cuando se presenten.

Una vez terminada la frase, deje el cirio encendido durante 9 minutos, apagándolo después con sus dedos. Haga esto todas las mañanas, comenzando un viernes, durante 3 meses.

¿ Cómo Lograr Que Su Pareja Nunca La (o) Abandone Y Le Sea Fiel En El Matrimonio ?

Para que usted logre que su pareja siempre le sea fiel en su matrimonio, le recomendamos hacer el siguiente hechizo:

Materiales

* Aceite de oliva
* 1 vela blanca

Una noche que él o ella duerma profundamente, échese unas cuantas gotas del aceite en su mano izquierda y pásela sobre la vela blanca encendida, a manera de que se caliente un poco. Una vez hecho ésto, haga una cruz en los lugares y en el orden que le vamos a indicar:

1. **en la palma de la mano izquierda**
2. **en la planta del pie derecho**
3. **en la palma de la mano derecha**
4. **en la planta del pie izquierdo.**

Es muy importante que usted haga estas cruces en los lugares y en el orden indicado; de igual manera, es importante que a la hora de hacerlo, toque a su pareja, pero no la vaya a despertar, pues toda la fuerza del hechizo se perdería. Cada vez que éste haciendo una cruz donde se le indica, repita el siguiente conjuro :

Me perteneces; éste es tu hogar
¡no me puedes dejar de amar!
me perteneces; no me puedes abandonar...
me perteneces; éste es tu hogar.

Si logra hacerlo como se le indica, y sin despertar a su pareja, tenga por seguro que él o ella siempre le será fiel y nunca dejará el hogar.

¿ Cómo Alejar De Su Hogar A Esa Persona Que Hace Tanto Daño A Su Matrimonio ?

Cuando uno empieza a vivir su vida de casado, nunca falta la amiga *metiche* y *chismosa o los amigotes sonsacadores* que todos los días están en su hogar, inclusive viviendo con ustedes, y sólo se dedican a fastidiarles la existencia. Para alejar a éstas personas de su hogar, siga las siguientes instrucciones :

Materiales

* 1 escoba nueva
* 1 vela blanca
* 1 estampita de San Alejo
* Guano bendito

Cuando la persona que los molesta salga de su casa, coloque la escoba detrás de la puerta principal y diga:

> Escobita buena, escobita hábil...
> llévate a (*nombre de la persona que se quiere alejar*)
> por otros caminos, pero no le hagas daño
> porque yo la quiero...
> ¡sólo te pido que la saques de mi casa!

Despúes de ésto, barra el umbral de su puerta, lanzando el polvo fuera de su casa; acto seguido, encienda la vela y, en un rincón de la casa donde duerma o esté la mayor parte del tiempo la indeseada visita, ponga la imagen de San Alejo con la vela. Hecho ésto, queme un poco de guano bendito con la misma vela, tome las cenizas y haga la señal de la cruz en cazuelas donde cocine, así como en la cama de la persona *non grata* o el lugar donde pase la mayor parte del tiempo. Finalmente, deshágase del *"trabajo"* y listo.

¿ Cómo Consolidar El Matrimonio Por Siempre ?

Para que usted y su pareja siempre estén unidos en matrimonio, es muy conveniente realizar el siguiente hechizo:

Materiales

* 3 velas blancas
* 1 plato de cristal blanco
* Azahares
* Jazmines
* Claveles
* Incienso
* 1 fotografía suya
* 1 fotografía de su esposo (a)
* 1 pliego de papel blanco
* 1 ramo de flores

Cualquier miércoles, a las 3 de la tarde exactamente, ponga las 3 velas en el plato (lo más junto posible), dedicándole una a San Antonio, otra a su Ángel de la Guarda, y la última al Ángel de la Guarda de su pareja. Coloque en el plato los azahares, jazmines, claveles y enciéndalas. Ponga en un lugar alto el plato, queme incienso y diga el siguiente conjuro :

> Mi San Antonio casamentero,
> yo quiero que siempre nos hagas felices
> (*nombre de la pareja*) y a mí (*diga*
> *su nombre*)
> ¡que nuestra unión sea para siempre feliz!

Cuando termine de hacer ésto, tome las fotografías, colóquelas junto al plato y déjelas ahí hasta que las velas se consuman totalmente. Después de ésto, tome las flores y la cera del plato, limpiándolo con la mano derecha. Acto seguido, guarde muy bien las fotografías, y el resto, deposítelo en el pliego de papel blanco y llévelo a un río, lago, mar o vías de ferrocarril, y déjelo ahí. Todo ésto, se debe hacer durante 1 mes todos los miércoles. Finalmente, el último miércoles, lleve unas flores blancas a la iglesia y una vela para San Antonio; rece una oración dedicada a él y, cuando regrese a su casa, dése un baño de inmersión con los pétalos de las flores.

¿ Cómo Destruir Celos, Envidias Y Mal De Ojo En Su Matrimonio ?

Para acabar con las maldiciones, brujerías, envidias y celos en contra de su matrimonio, haga el siguiente hechizo y libérese de ellos para siempre :

Materiales

* Carbones (pequeños)
* 1 vaso grande de cristal
* 1 crucifijo pequeño
* 1 cinta amarilla

Primeramente, encienda los carbones y métalos en el vaso con agua; cuando se apaguen, introduzca el crucifijo y la cinta amarilla al vaso. Ponga todo en una mesa y dé 3 vueltas a la derecha y 3 hacia la izquierda; hecho esto, saque los carbones y póngalos encima de la cinta y el crucifijo. Tire el agua en una maceta cualquiera y amarre el crucifijo con la cinta amarilla, guardándolo muy bien en un lugar secreto. Mientras realiza esto, diga muy concentrada el siguiente conjuro :

¡Solavaya, maldición!
¡Solavaya!, ¡Solavaya!
¡te espanto en este momento!
¡y te traigo la bendición!

Finalmente, tire los carbones a la basura.

¿ Cómo Lograr La Armonía Y Paz En La Vida Conyugal ?

Aunque en ocasiones, las peleas domésticas son pasajeras, hay otras que, a la larga, causan serias dificultades en la pareja. El siguiente hechizo es para estos conflictos:

Materiales

* 1 cinta de color blanco (larga)
* Incienso

Lo primero que hay que hacer, es medir a su pareja con la cinta blanca cuando duerme, mientras dice lo siguiente :

> Que esta cinta te adormezca,
> porque te mido de pies a cabeza.

Después de hacer ésto, usted tiene que hacer un nudo a la altura de las siguientes partes :

1.- **cabeza**

2.- **corazón**

3.- **ombligo**

4.- **genitales**

5.- **rodillas**

6.- **pies**

7.- se recomienda hacer un séptimo nudo al final, pues el 7 es un número mágico

Ya que haya hecho todo esto, espere a que salga de la casa para atarse al brazo derecho la cinta con los 7 nudos (si es zurda, hágalo en su brazo izquierdo). Limpie muy bien su casa, queme incienso y perfume todo su hogar con las esencias que más le agraden.

¿Cómo Conseguir Una Casa Donde El Nuevo Matrimonio Pueda Vivir Solo?

Muchas veces, cuando uno contrae matrimonio, se ve en la necesidad de vivir con sus suegros o algún pariente cercano, ocasionando a la larga fricciones entre la familia. Para lograr que la pareja viva sola, siga el siguiente hechizo:

Materiales

* 1 perro y 1 gato (pueden ser prestados)
* 3 granos de maíz
* 3 monedas (de cualquier denominación)
* Comida para gato y para perro

Una noche cualquiera, saque al perro y fíjese muy bien en el lugar donde orine éste; la siguiente noche, lleve al gato al lugar donde orinó el perro y póngale comida ahí mismo. La siguiente noche, haga lo mismo que hizo con el perro, pero en un lugar diferente. A la siguiente noche, repita la misma acción con el gato. Para la quinta noche, vaya sola al lugar donde comió el gato por primera vez y deje los granos de maíz en ese lugar; diríjase entonces al segundo lugar, y deposite las monedas en el lugar exacto donde orinó el perro la segunda vez. Regrese a su casa, mezcle comida para gato y para perro y llévela al pie de un árbol sano y frondoso, por el cual haya visto que pasen animales callejeros.

¿ Cómo limpiar Su Matrimonio De Maldiciones ?

Cuando su matrimonio no funciona bien debido a fuerzas oscuras y malignas, usted puede salvarlo mediante el siguiente hechizo :

Materiales

* 2 veladoras rosas
* 1 imagen de San Martín de Porres
* 1 imagen de El Señor de la Misericordia
* Flores de nochebuena
* Aceite de El Santísimo
* Flores de azahar

Encienda las dos veladoras, una a la imagen de San Martín de Porres y la otra para el Señor de la Misericordia; repita 9 veces, y en voz alta, la Alabanza de los **Pro**tectores Invisibles y beba, el afectado, una infusión de flores de nochebuena. Por 8 semanas, beba en ayunas una cucharada de aceite de El Santísimo y tome un baño con agua hervida con las flores de azahar.

¿ Cómo Protegerse De Hechizos Y Maldiciones Que Buscan Separar Su Matrimonio ?

Así como hay gente que el día de su boda les desea la mejor de las suertes, también existen seres malos que lo único que desean es que su matrimonio fracase, y no se detienen ante nada hasta lograr su cometido. Usted puede protegerse contra estos nefastos seres de la siguiente manera :

Materiales

* 1 cirio rojo perfumado
* 1 cirio azul perfumado
* 1 cirio café (sin perfume)

Un domingo al amanecer, grabe en el cirio rojo la oración a San Antonio de Padua; en el azul la de El Arcángel Cupido y, finalmente, en el café, la de El Arcángel Haegeth. Una vez hecho ésto, encienda los tres cirios y rece un rosario compuesto por las 3 oraciones. Esto bastará para que su matrimonio no se vea afectado por ninguna maldición.

¿ Cómo Recuperar A Su Marido De Las Garras De La Amante ?

Cuando usted está siendo engañada por su marido, le recomendamos hacer el siguiente hechizo para liberarse de la mujerzuela que le quiere robar el amor de su pareja :

Materiales

* 27 velas rojas de sebo
* Chile piquín
* Agua bendita de iglesia
* Azúcar
* 1 aguja

Tome las velas y divídalas en tres partes iguales cada una. Las primeras 27 partes, corresponderán a la amante, las segundas a su marido, y las últimas a usted. Con la aguja, escriba en cada una de las velas el nombre a quien correspondan. Después, impregne el chile piquín a las que corresponden a la amante, agua bendita a las de su marido, y azúcar a las de usted. En una mesa, coloque, de izquierda a derecha, un pedazo de vela de cada una de las 3 personas de la siguiente manera : 1) amante izquierda; 2) marido centro; 3) esposa derecha. Una vez colocadas, encienda cada una y diga concentrada :

Espíritu de luz que alumbras
las tinieblas de las almas,
ilumina el cerebro de (*nombre de su
esposo*)
para que no se vaya con
(*nombre de la amante*).
Impúlsalo con tus poderes
para que todo lo que tenga me lo dé.
Tranquilidad no le dés,
hasta que a mi lado esté,
y venga a pedirme perdón
por el daño que me ha hecho
con esa mujer que es (*nombre de la
amante*).

Una vez dicho ésto, observe cuidadosamente la flama que despide la vela que corresponde a la amante, y si se está inclinando hacia la de su marido, azótela con fuerza en el piso, grítele y ordénele lo siguiente :

No debes de meterte nunca más
con el hombre que me pertenece.

Una vez hecho ésto, vuélvala a encender y deje que las velas se consuman totalmente. Haga esta operación durante 9 días seguidos.

¿ Cómo Saber Los Secretos De Ella O Él Que No Nos Quiere Decir ?

Si usted desea averiguar qué secretos tiene su pareja para con usted, siga paso a paso el siguiente hechizo y pronto lo sabrá :

Materiales

* 1 pantufla o sandalia, de usted

Un domingo en la noche, tome su pantufla o sandalia y colóquela debajo de la cama diciendo sumamente concentrado el siguiente conjuro :

> Sandalia mía, te prometo
> no arrastrarte más por el piso...
> ni una sola vez ...
> si me cuentas los secretos de mi amor...

Una vez hecho ésto, ponga mucha atención a los pensamientos que surjan en su mente. A la hora de dormir, seguramente verá en sueños situaciones que no se podía explicar, o revelaciones muy interesantes. Una vez que tenga conocimiento de estas revelaciones, investigue por su cuenta si son verdad, pues no siempre se interpretan los sueños correctamente.

¿Cómo Puede Una Mujer Divorciada Recuperar El Amor De Su Ex-marido?

Cuando una mujer divorciada no puede dejar de pensar en el que fuera su marido, lo único que debe de hacer para recuperarlo, si realmente lo ama y lo necesita todavía, es lo siguiente :

Materiales

* 1 vela blanca

* 1 vela roja

* 1 vela negra

* 1 fotografía del ex-marido

* Aceite de sésamo

* Colonia de sándalo

* 1 paño rojo

* 1 diente de ajo

* 1 alfiler

Un sábado de luna llena, a las 12 de la noche, coloque las tres velas juntas frente a una ventana y ponga en medio la fotografía. Encienda las velas y diga el siguiente conjuro :

Velas de colores,
tráiganmelo ya;
luna de amores,
¡devuélvemelo ya

Al terminar este conjuro, ponga 2 gotas de aceite de sésamo y 3 de la colonia de sándalo al paño rojo y póngalo sobre la fotografía; una vez hecho esto, ensarte con el alfiler el diente de ajo, y luego, atraviese la fotografía y dedíquele el hechizo a la bruja Ágata. Con esta magia, su ex-marido regresará pronto con usted.

¿ Cómo Puede Encontrar Una Viuda A un Hombre Que La Ame ?

Cuando una mujer, se ha visto en la desgracia de quedar viuda por cualquier circunstancia, no necesariamente se tiene que quedar sola. Si usted sigue buscando un compañero con el cual compartir su vida, el siguiente hechizo le será de gran ayuda :

Materiales

* 1 ajo
* Pétalos de flores blancas
* 1 rama de albahaca
* 1 vaso de cristal nuevo
* 1 cruz de metal
* Miel de abeja
* Leche de cabra (o vaca)

Un sábado de luna llena, frótese todo su cuerpo desnudo con el ajo bajo la luz de la luna. Inmediatamente después, tome un baño con agua de pétalos de flores

blancas; ponga la rama de albahaca bajo su almohada
con la cual duerme. Llene el vaso con agua y deposite
en él la cruz metálica; ponga todo a los pies de su cama,
mírelo fijamente y repita:

Amado (*nombre de su difunto marido*)
tú sabes que siempre te quise y te fui
fiel,
pero ahora tú estas en otro plano ...
y yo necesito encontrar este amor
terrenal,
que me ayude a vivir hasta mi encuentro
final contigo.
¡Te pido permiso para amar!

Cuando termine de hacer esto, revuelva muy bien 2
cucharadas de miel de abeja en una taza de leche tibia
de cabra y frótese el abdomen con esto. Dése otro baño
con agua de pétalos de flores blancas y rece una oración
de San Alejo, una de San Antonio y otra de San Judas
Tadeo. Finalmente, acuéstese a dormir. Repita todo el
hechizo durante 7 sábados seguidos, y pronto aparecerá
el hombre que está buscando.

¿ Qué Hacer Para Tener Muchos Hijos En Nuestro Matrimonio ?

Cuando usted une su vida a un hombre, generalmente los dos planean su vida futura como siempre lo han
soñado. Si uno de sus sueños es tener una numerosa

familia, siga el siguiente hechizo y, seguramente, usted tendrá muchos hijos:

Materiales

* Aceite de oliva
* 1 cruz de madera o de metal
* 2 flores rojas
* 1 llave (cualquiera)
* 1 florero
* 1 paño blanco

El primer día de su menstruación (de cualquier mes), recuéstese en su cama, ponga 7 gotas de aceite de oliva en su vientre y dése masajes circulares con su mano por 5 minutos. Hecho esto, coloque la cruz, las flores y la llave sobre su vientre, mientras repite el siguiente conjuro :

> Abrase el vientre con la llave de amor;
> y la cruz bendice mis entrañas;
> ¡este vientre está lleno de almas,
> que saldrán felices al mundo!

Después de repetir el conjuro 3 veces, cierre los ojos y visualice muchos niños felices. Al abrir los ojos, tome la cruz y la llave con mucho cariño y póngalas en un lugar alto donde nadie las toque; las flores, colóquelas en el jarrón con agua y déjelas ahí hasta que se marchiten. Cuando esto suceda, envuélvalas en el paño blanco y tírelas a la basura.

¿ Cómo Evitar Tener Hijos En El Matrimonio ?

Al contrario del hechizo anterior, hay parejas que, al unirse en matrimonio, buscan disfrutar ellos solos de la vida y no piensan en hijos, pues hay ocasiones en las que ya cuentan con niños de algún matrimonio anterior, por ejemplo. Para estas parejas, recomendamos el siguiente hechizo :

Materiales

* 1 esponja
* Vinagre
* Sal
* Agua salada
* 1 cuchillo

Disuelva en un litro de vinagre una cucharadita de sal; tres días después de su menstruación, moje la esponja en el vinagre y frótese en su vientre 30 minutos mientras dice :

> Limpia mi vientre, esponja divina ...
> ¡no quiero más hijos en mi vida!

Repita esta operación 7 veces durante 3 noches seguidas. Una vez terminado esto, meta la esponja a un recipiente lleno de agua salada y coloque también ahí el cuchillo. Deje todo ahí durante 1 semana, y al transcurrir el tiempo, ponga la esponja, sin exprimir, en un lugar donde le dé el sol. Conforme se vaya secando la esponja, su matriz se irá cerrando hasta el punto donde usted no podrá tener hijos nunca más.

Capítulo IX

Hechizos Eficaces Y Seguros Para Niños

Este capítulo, aunque corto, le puede ser de gran ayuda, pues en él encontrará diversos hechizos para poder ayudar a los niños que, por naturaleza o malas intenciones de algún ser malvado, tengan algún problema.

¿ Cómo Conocer el Sexo De Su Bebé ?

Cuando un matrimonio está en espera de un bebé, pasa por los problemas de no saber si comprar ropita, accesorios y juguetes para niño o para niña. Con el siguiente hechizo, usted podrá saber con precisión si su bebé vestirá de *rosa* o *azul*, sólo siga las instrucciones al pie de la letra :

Materiales

* 1 anillo de usted (que haya usado durante 1 mes o más)
* 1 cabello largo también de usted

Lo primero que hay que hacer, es ensartar el anillo con el cabello de manera que quede colgando libremente. Una vez hecho esto, recuéstese en su cama, descubra su vientre y coloque el anillo ensartado sobre éste. Espere unos segundos sin mover la mano con la que sostiene el anillo; si éste empieza a moverse en forma circular se trata de una niña, pero si lo hace de un lado para el otro, será un varón.

¿ Cómo Ayudar A Un Hijo para Que Tenga Suerte Y Triunfe En La Vida ?

Cuando usted ha dado vida a un nuevo ser, lo único que desea para él es lo mejor de la vida ¿verdad?; bueno, pues el siguiente hechizo, hará que su recién nacido, triunfe en la vida y nunca le falte la buena suerte :

Materiales

* 1 tina o bañera chica
* Agua (para bañar al bebé)
* Vino de Oporto
* 1 moneda de oro (si no consigue una, ponga una dorada)

Cuando usted tenga la oportunidad de bañar por primera vez a su hijo (a), ponga en la tina el agua, una copa del vino y la moneda de oro. Meta al niño (a) a su primer baño y, mientras, repita el siguiente conjuro :

> Por el oro y por el vino, yo adivino;
> por el vino y por el oro, mi hijo (a) será
> un tesoro.

Una vez terminado esto, seque al niño (a) y sigan su vida normal. Es muy recomendable hacer este hechizo tres veces seguidas durante la primera semana que el niño (a) nació, pues de esta manera, el hechizo se reforzará.

¿ Cómo Bendecir A Un Niño (a) Recién Nacido Y Desearle Suerte En La Vida ?

Cuando nosotros, o alguien conocido, tiene la fortuna de traer un ser al mundo, lo que debemos de hacer para bendecirlo y desearle éxito en su vida futura (aun cuando se trate del hijo (a) de un enemigo, pues el maldecirlo puede revertirse en contra nuestra), debe hacer lo siguiente :

Materiales

* 1 gajo verde de albahaca
* Agua bendita de iglesia
* Colonia de sándalo

Tome el gajo de albahaca, mójelo en el agua bendita y páselo por encima del cuerpo del niño (a) repitiendo :

Con agua bendita, que venga ya
la suerte, el éxito y la fortuna.

Una vez hecho ésto, toque al bebe con el gajo ligeramente y repita :

Dios todopoderoso,
a ti que eres padre de todas las
criaturas,
encomiendo este niño (a) para que siempre
lo (a) guíes
y lo (a) protejas de todo mal,
de cualquier daño físico, mental,
espiritual o material.
Te pido que lo (a) ayudes en todo
y que siempre estés a su lado
para que siempre obre bien
y nunca tenga problemas con la justicia,
ni en su boda, ni en su familia que
tendrá después,
ni en su trabajo, ni en su salud,
ni en su alma.
En el nombre del padre, del hijo
y del espíritu santo ...

Cuando termine esta oración, dé varios pases por todo el cuerpo con la albahaca y, finalmente, rocíe el cuerpo del niño (a) con el agua bendita y con la colonia de sándalo.

Hechizo Para Que El Niño (a) Triunfe En Todo Lo Que Emprenda

Para que un hijo (a) tenga suerte en el futuro, y **logre triunfar** en cualquier actividad que emprenda, es **muy** importante que usted haga el siguiente hechizo :

Materiales

* Varias monedas (para limosnas)

Un sábado, muy temprano, lleve al niño (a) a un parque donde haya muchos árboles frondosos; siéntelo debajo del que más le guste a usted, dé tres vueltas alrededor de éste hacia la derecha y diga :

> Madre naturaleza, madre tierra ...
> polvo somos y al polvo volveremos.
> Mira este (a) niño (a), hijo (a) y criatura
> tuya ...
> guárdalo (a) y protégelo (a),
> bendícelo (a) siempre y ayúdale para
> que triunfe todos los días de su vida.

Haga todo este ritual durante 6 sábados, siempre cambiando de árbol. Una vez hecho todo esto, lleve al niño (a) a un lugar donde haya pordioseros y **déle las** monedas para que la criatura se las entregue a los indigentes.

¿ Qué Hacer Para Que Nuestro Hijo (a) Tenga Una Cabellera Sana Y Preciosa?

Para ayudar a que nuestro hijo (a) no sufra de problemas capilares en su futura vida, lo único que debemos de hacer es lo siguiente :

Materiales

* Agua
* Aceite de oliva
* Manzanilla hervida
* Té negro hervido
* Yerbabuena
* 1 recipiente

Un sábado en la mañana, ponga en el recipiente agua tibia, 1 cucharada del aceite de oliva, otra de manzanilla hervida, una más del té negro hervido y una última de yerbabuena. Una vez que los haya mezclado perfectamente, enjuague la cabecita del bebé con esta solución y diga el siguiente conjuro:

> Aceite y agua de salud y vida,
> flores y yerbas de la alegría,
> naturaleza encantada, llena de belleza ...
> ¡corona de muchos cabellos esta linda cabeza!

Una vez terminado esto, enjuague con agua corriente la cabeza del niño (a) y cepíllelo suavemente. Haga el hechizo durante 1 mes todos los sábados. Con este conjuro su bebé no sufrirá ni siquiera de calvicie.

¿ Cómo Evitar Que Nuestro Hijo Se Enferme De Diabetes ?

Cuando el historial clínico de su familia demuestre que son propensos a contraer esta enfermedad, usted puede ayudar a que su hijo no contraiga este mal de la siguiente manera :

Materiales

* 1 papaya verde (grande)
* 1 cuchillo

Tome el cuchillo, corte la parte superior de la papaya y haga que el niño (a) orine dentro de la fruta; cuando haya terminado, tape nuevamente la papaya y déjela en un lugar donde pueda darle los rayos de la luna durante toda la noche. Al día siguiente, vaya a un parque y entiérrela perfectamente.

3 Recetas Infalibles Para Ayudar Al Niño (a) A Hablar

Cuando su niño (a) presente problemas al tratar de hablar, usted puede ayudarlo mediante magia para que supere sus problemas. Aquí le presentamos 4 remedios muy eficaces para que usted escoja el que más le agrade:

Hechizo Del Huevo

Materiales

* 1 huevo
* Agua fresca
* Azúcar

Separe la yema de la clara y échela en un poco de agua; endulce esto con una cucharada de azúcar, y désela a la criatura. Esto le ayudará a hablar.

Hechizo Del Pescuezo Del Animal

Materiales

* 1 cinta de color rojo
* 1 animal doméstico (perro, gato, gallina, etc.)
* Agua fresca
* Miel de abeja
* Limón

Amarre la cinta roja al pescuezo del animal que tenga en su hogar, o que haya conseguido, y déjeselo durante tres días completos. Cuando pase este tiempo, póngale la cinta al niño (a) en el cuello, y déle una cucharada del agua con 2 gotas de miel y limón al mismo tiempo; hecho esto, repita el siguiente conjuro:

> La fuerza del (*animal que haya utilizado*)
> esta cinta llenó
> y la voz de (nombre de la criatura)
> ¡aquí mismo llegó!

Finalmente, deje el listón por una hora y quíteselo a su hijo (a).

Hechizo Gitano

Materiales

* 1 espejo grande
* 1 rama de olivo o de laurel
* Agua fresca
* Azúcar
* Zumo de limón

Siente al niño (a) frente al espejo, pásele 3 veces la rama de olivo por la garganta y déle de beber el agua con una cucharada de azúcar y un poco de zumo de limón. En cuanto la criatura trague el líquido, haga la señal de la cruz en su gargantita y listo.

¿ Cómo Curar Cualquier Enfermedad De Su Bebé ?

Cuando su hijo caiga enfermo por cualquier padecimiento, usted puede ayudarlo a salir de su estado mediante el siguiente hechizo :

Materiales

* 1 vela blanca
* Agua bendita de iglesia
* 1 rosario
* 1 medalla de Cristo Sanador

Tome la vela encendida con la mano izquierda, arrodíllese frente al niño enfermo y diga la siguiente oración :

Criatura de dios, yo te curo y te
bendigo
en el nombre de la santísima trinidad,
padre, hijo y espíritu divino,
tres personas distintas y una esencia
mágica.
De la virgen María, nuestra señora,
concebida sin mancha de pecado original,
virgen en el parto, antes del parto y despúes
del parto.
Y por la gloriosa santa Gertrudis,
las once mil vírgenes, san Rogue y san Sebastián,
y por todos los santos y santas de la corte celestial
por tu gloriosísima encarnación, ascensión
y santísimos misterios del evangelio.
Suplico a tu divina majestad,
poniendo por intercesora a la santísima
virgen madre
y abogada nuestra, que libres y sanes a
tu afligida
criatura (*nombre de la criatura*)
de esta enfermedad
(nombre de la dolencia) y
de otra cualquier enfermedad que sea.
Amén, Jesús.
No mires la indigna persona que te los pide,
sino actúa según tu misericordia y tu amor.
Criatura de dios, yo te ensalzo y jesucristo,
nuestro redentor, te sane, bendiga y cumpla
su Santísima Voluntad amén, Jesús.

Una vez que termine, persígnese, coloque el rosario y la medalla en el niño, y finalmente, rocíelo con agua bendita.

Capítulo X

Hechizos Para El Trabajo, Los Negocios, La Suerte Y El Dinero

Esta parte del libro, estará dedicada a uno de los temas más socorridos por la gente: el trabajo, el dinero y la suerte. Hay personas que, por Fuerzas Superiores y muy poderosas, tiene la fortuna de nacer con "estrella"; sin embargo, todos podemos usar un poco de magia y atraernos la fortuna. En este capítulo, usted encontrará la más diversa variedad de hechizos, conjuros y brujerías que siempre ha deseado conocer para, así, tener suerte en la vida.

¿ Qué Hacer Cuando Nuestro Dinero Es Salado Por Otras Personas ?

Cuando un enemigo nuestro, usa la magia negra en contra de nosotros, o de nuestro dinero, generalmente, nunca obtenemos el suficiente capital para comprar lo que necesitamos para vivir, o casi nunca nos alcanza el gasto. Si usted es de estas personas, haga el siguiente hechizo y olvídese del "no tengo dinero" para siempre :

Materiales

* 1 palangana
* Agua bendita de una iglesia dedicada a San Francisco de Asís y en una dedicada a Santa Eduviges
* 6 monedas y 6 billetes (de cualquier denominación) que pertenezcan a la persona afectada
* 1 jabón de avena
* 1 pluma de tinta verde, nueva
* 1 veladora de El Santísimo blanca de vaso verde

Un domingo cualquiera, cuando esté saliendo el sol, ponga el agua bendita en la palangana y lave el dinero (monedas y billetes) con el jabón de avena, al cual le habrá grabado anteriormente 8 pequeñas cruces de cada lado con la pluma verde. Al terminar, ponga los billetes y las monedas formando una cruz y ponga sobre éstos la veladora encendida. Repita 4 veces la oración a El Arcángel Ock en la mañana, 4 al mediodía, 4 en la tarde, 4 en la noche y 4 en la madrugada. Haga esto hasta que se consuma totalmente la veladora. Finalmente, cuando se termine la veladora, vaya a la iglesia más próxima y ponga el dinero en el cepo de ésta.

¿ Qué Hacer Cuando Su Negocio Va Hacia La Quiebra ?

Cuando usted tiene un negocio y éste, inexplicablemente, se está hundiendo, llevándolo poco a poco a la quiebra, utilice el siguiente hechizo para salvarlo :

Materiales

* 1 litro de agua de ruda
* Perfume o loción favorita del dueño
* Agua de San Ignacio de Loyola
* Agua bendita de 5 iglesias diferentes
* 1 veladora café
* 1 imagen de San Martín Caballero

Mezcle en el agua de ruda su perfume o loción favorita, el agua de San Ignacio de Loyola, el agua bendita de las 5 iglesias (25 gotas de cada una de ellas) y rocíe muy bien todo el negocio cada tercer día con esto. Encienda la veladora (teniéndola así permanentemente) frente a la imagen de San Martín Caballero y rece con mucha fe la oración de éste al abrir y cerrar las puertas de su negocio.

¿ Cómo Evitar La Ruina Y La Quiebra Total De Su Economía ?

Si usted es de esas personas que, de tener una situación económica estable o desahogada, súbitamente se ha visto al borde de la ruina sin saber cómo y porqué, le recomendamos hacer lo siguiente :

Materiales

* 1 imagen de los 3 Reyes Magos
* 1 cazuela de barro (pequeña)
* Paja
* 4 monedas suyas (de cualquier denominación)
* 1 cirio café

Llene la cazuela de barro con la paja y ponga en el interior sus monedas; coloque esto frente a la imagen de los Reyes Magos y grabe en el cirio la Alabanza a los Tres Reyes Magos. Una vez hecho esto, encienda el cirio y repita 6 veces durante el día la oración a El Arcángel Ock. El 23 de diciembre, tendrá que renovar las monedas y la paja de la cazuela, y lo que haya usado, deberá de dejarlo en un lugar donde haya muchos pinos antes de que termine el último día del año.

¿ Qué Hacer Para Que No Le Falte Dinero Y Trabajo ?

Si usted está en la desesperante situación de no tener trabajo ni dinero, puede hacer el siguiente hechizo y verá qué pronto se solucionan sus problemas :

Materiales

* Alcohol industrial
* 1 plato blanco de cristal nuevo
* Azúcar
* 7 carbones
* 1 pinzas de hielo

Un viernes en la noche, ponga en la llama de su estufa los carbones hasta que se calienten; tome las pinzas y deposítelos en el plato. Haga un círculo alrededor suyo con el alcohol, ubíquese en el centro de éste con el plato y préndale fuego al círculo. Una vez hecho esto, lance un puño de azúcar al plato, brinque en forma de cruz dentro y fuera del círculo, sacúdase las "malas vibraciones" y diga muy concentrado :

> Protectores míos, acudan en mi ayuda.
> Que nunca me falte dinero,
> amor y trabajo.

Repita esta frase hasta que el círculo de fuego se apague solo.

¿ Cómo Ayudarse Para Conseguir Trabajo ?

Cuando usted va en busca de trabajo y éste se le niega por diversas circunstancias, no se desespere, haga el siguiente hechizo y verá que las cosas cambian :

Materiales

* Azúcar
* 1 rama de albahaca
* 1 rama de romero (seco)
* 3 claveles rojos
* 1 litro de agua

Un viernes muy temprano, ponga la albahaca, el romero y los claveles a hervir perfectamente; posteriormente, retírelos del fuego y espere unos 15 minutos. Tome un baño como lo hace todos los días y, al finalizar, tome un puño de azúcar, únteselo por todo el cuerpo, de pies a cabeza, y enjuáguese con el agua que hirvió previamente. Cuando haya terminado, diga con mucha fe y concentración :

Hoy viernes santo,
viernes de la buena suerte para obtener favores,
le pido a san Martín Caballero
que saque la sal de mi cuerpo.
Dame suerte en mi trabajo, dame dinero.

Que este baño se convierta en salud,
felicidad y fortuna.
Ruégote, santo mío, que con esta oración
bendita, poderosa y sagrada
me concedas la gracia de que
mis enemigos
se queden encantados de mí,
y me den trabajo donde lo he solicitado.
Amén.

Dése este baño cada viernes hasta que llegue el trabajo que tanto desea.

¿ Qué Hacer Cuando Se Ha Quedado Sin Trabajo ?

Si usted se ha quedado sin trabajo de la noche a la mañana, no se preocupe, haga el siguiente hechizo y pronto regresará a trabajar :

Materiales

* Éter
* Amoníaco
* Cerillos de madera

Un martes en la noche, tome 7 cucharadas del éter y otras 7 del amoníaco, y forme en el piso una cruz; encienda un cerillo de madera y arrójelo para que prenda

la cruz. Una vez hecho esto, brinque sobre la cruz de
fuego, haciendo usted mismo una cruz, mientras dice 7
veces el siguiente conjuro :

> Tengo que encontrar la llave
> del trabajo que se me ha perdido.

¿ Cómo Incrementar Las Ventas En Su Negocio ?

Si usted tiene algún negocio, sin importar la espe-
cialidad, este hechizo le garantiza un incremento en las
ventas, siempre y cuando lo haga con mucha fe y concentración :

Materiales

* 3 claveles rojos
* 3 claveles blancos
* 1 rama de romero (fresca)
* 1 florero

Lo primero que usted debe hacer, es poner un florero
con agua fresca en algún lugar de su negocio; hecho esto,
ponga los claveles y la rama de romero en el interior del
florero y déjelos ahí hasta que se marchiten. Cuando esto
pase, cámbielos por otros claveles y otra hoja de romero,
procurando que nunca falten en su negocio. Las flores
marchitas, tírelas a la basura.

¿ Cómo Atraer La Suerte Y Alejar Envidias ?

Cuando usted presienta que las envidias que despierta en su entorno afectan su vida y le traen mala suerte, haga el siguiente hechizo y olvídese de este problema :

Materiales

* Periódico
* 1 ramo para limpia (se consigue con yerberos)
* Loción Siete Machos

Tome una hoja del periódico, ponga en medio el ramo y 21 gotas de la loción; envuélvalo todo y póngalo debajo de su colchón 3 días y 3 noches. Una vez que haya transcurrido ese tiempo, tire todo en un basurero que se encuentre muy lejos de su casa.

¿ Cómo Combatir El Desempleo ?

Cuando usted ya tiene bastante tiempo desempleado, puede llevar a cabo el siguiente hechizo :

Materiales

* 1 veladora azul
* 1 aguja de coser nueva
* Miel de abeja
* Polvo dorado (se consigue en cualquier tlapalería)

Lo primero que hay que hacer, es escribir en la veladora con la aguja, el trabajo que se quiere obtener (de acuerdo a su capacidad, conocimientos o estudios). Una vez hecho esto, unte la miel de abeja a la veladora e imprégnela del polvo dorado (3 cucharadas). Después, enciéndala y rece 3 Padre Nuestros. Repita esta operación 2 veces más, cada martes.

Llame A La Buena Suerte Y No La Deje Ir

Si usted quiere tener buena suerte por el resto de sus días, haga el siguiente hechizo y verá como cambia su vida :

Materiales

* 1 de litro de vinagre de manzana
* 3 cabezas de ajo macho
* Sal de grano

Lo primero que debe de hacer, es machacar perfectamente los ajos; una vez listos, agregue el vinagre, un puño de la sal de grano y espere 5 minutos para que todo se integre muy bien. Hecho esto, úntense el ungüento en su cuerpo, tome un buen baño y ordene a las energías negativas que se alejen de su cuerpo. Si realmente quiere atraer a la suerte, realice esta operación 3 veces al año, los días 3, 5, 7, 9, 13, 17 y 21 de cualquier mes que usted escoja.

¿ Qué Hacer Para Que Nunca Le Falte El Trabajo ?

Para que usted pueda estar tranquilo y sin la presión de que algún día le llegue a faltar trabajo, le recomendamos hacer el siguiente hechizo :

Materiales

* 1 ladrillo rojo
* 4 monedas de plata
* Azúcar
* Perfume o loción (su favorita)
* 1 oración de la Divina Providencia
* 1 hoja de papel aluminio
* Sal
* 1 veladora blanca
* Agua fresca
* 1 plato de cristal blanco

Lo primero que hay que hacer, es forrar el ladrillo con el papel aluminio y poner encima de éste, el plato con la veladora y las 4 monedas alrededor. La veladora debe de estar impregnada con su loción y con azúcar. Hecho esto, ponga una pizca de sal a cada una de las monedas y vierta agua en el plato. Encienda la veladora y rece a la Divina Providencia el primer día de cada mes a las 12 del día.

¿ Cómo Obtener Éxito En Su Trabajo ?

Cuando en su oficina, o lugar de trabajo, impere un ambiente pesado, usted puede ayudarse a sí mismo haciendo lo siguiente :

Materiales

* 3 claveles rojos
* 1 vara de incienso de tulipán
* Azúcar
* 1 florero
* Agua fresca

Primero, ponga el florero con agua y una cucharada de azúcar en un rincón de su casa; después, ponga en él las flores y déjelas ahí hasta que se marchiten. Por un espacio de 7 días, queme el incienso y diga mentalmente muy concentrado :

> Retiro malas voluntades, envidias
> e infortunios
> que perjudiquen a mi persona.

Recupere El Dinero Que Le Deben Mediante Un Hechizo

Si usted ha prestado dinero a personas morosas e irresponsables, recupere su dinero mediante el siguiente hechizo :

Materiales

* 1 tenedor
* 1 huevo
* Almizcle
* 1 plato hondo

Primeramente, saque la yema del huevo y póngala en el plato junto con 7 pizcas del almizcle. Bata perfectamente con el tenedor y guárdela en el refrigerador. Todas las mañanas, échese 7 gotas de esta mezcla en las manos antes de salir de su casa y, muy pronto, recuperará el dinero que le deben.

¿ Cómo Tener Suerte En Los Juegos De Azar Y En La Lotería ?

Si a usted le gustan los juegos de azar o jugar a la lotería, le sugerimos practicar el siguiente hechizo para poder ganar siempre :

Materiales

* 1 moneda encontrada en la calle
* 1 pañuelo blanco
* 3 cintas (roja, azul y amarilla)
* 2 pedazos de madera
* Agua bendita de iglesia
* Incienso

Ponga la moneda que encontró casualmente en la calle en el pañuelo y amárrelo muy bien con las 3 cintas. Hecho esto, forme una cruz con los pedazos de madera y ponga encima de ésta el pañuelo. Rocíe todo con el agua bendita y diga el siguiente conjuro :

> Monedita linda que alguien te olvidó ...
> yo te recogí y calmé tu dolor.
> Sé agradecida ... ¡auméntate en mil!
> ¡en miles de millones ... y regresa a mí!

Después de repetir 3 veces el conjuro, queme el incienso en honor de Lakshmi (Diosa hindú de la fortuna). Tome el pañuelo y guárdelo en un saquito que siempre llevará consigo, sobre todo, si va a comprar un billete de lotería.

¿Cómo Alejar De Nosotros Los Problemas Legales?

Para mantenerse alejado de los problemas con la justicia, desde una infracción hasta una demanda mayor, todo lo que tiene que hacer es lo siguiente :

Materiales

* 1 rama de caoba, cedro, ciruelo, manzano, naranjo o sauce
* 1 cinta color blanca (larga)
* 1 pluma o plumón negro
* 1 hoja de papel blanco
* 1 baraja
* Polvo de coco rayado o cal blanca
* Incienso
* 1 olla de barro

Tome la rama que haya conseguido y divídala en 7 partes. Después, corte la cinta en 7 pedazos iguales y escriba un número en cada una de ellas (del 1 al 7). Hecho esto, amarre una cinta a cada pedazo de la rama y póngalas en la olla. Posteriormente, escriba en la hoja blanca su número de nacimiento muy grande (esto lo explicamos en el capítulo final de Oraciones), y deposítelo en la olla con las demás cosas. Cuando haya hecho esto, tome la baraja, revuélvala (barajando) muy bien, saque 7 cartas (no importa cuáles), e incorpórelas en la olla. Eche también el polvo de coco rayado o la cal blanca y, finalmente, queme el incienso dentro de la olla. Una vez que haya terminado, tome todo el "trabajo" y vaya a la iglesia a la que va normalmente, y en un rincón deje todo menos la olla, procurando que nadie lo vea. Si hace todo esto al pie de la letra, le garantizamos que sus problemas con la justicia se acabarán por siempre.

Atraiga La Suerte En El Juego Con Dados

Si a usted le gusta reunirse de vez en cuando con amistades para jugar una mano de póker o canasta, ¿no le gustaría, por medio de la magia, tener siempre la suerte a su favor?; lo único que tiene que hacer es lo siguiente:

Materiales

* 6 dados blancos
* 2 dados rojos
* 2 dados de cubilete
* 1 saquito de cuero o paño (verde)
* 3 monedas suyas de diferente valor

Primeramente, ponga todos las dados en el saquito y revuélvalos muy bien; después, eche las monedas, agítelas con energía y diga muy concentrado:

> Suerte, suerte y dinero, dados y cuero...
> dados y cuero, ¡dénme dinero ...!

Cuando termine el conjuro, salga a la calle y dé las 3 monedas al primer indigente o pordiosero que se encuentre. De no toparse con nadie así, vaya a la iglesia más cercana y déjelas ahí como limosna.

¿ Cómo Ganar Un Premio En La Lotería, Los Caballos O En Alguna Rifa ?

Para triunfar en cualquier negocio que emprenda, obteniendo estupendas ganancias con éste, siga las siguientes instrucciones :

Materiales

* 1 talismán correspondiente a su signo zodiacal (en el último capítulo le mostraremos cómo hacer estos talismanes)
* 3 monedas de cualquier denominación
* 1 billete cualquiera
* 1 carta de baraja cualquiera
* 1 dado
* 1 vaso con hielo
* 1 carbón (pequeño)

Una noche de luna llena, cuélguese al cuello el talismán y, a las 12 de la noche, vaya a un parque y tire las 3 monedas en la tierra. Cuando regrese a su casa, tome el dado y tírelo, fijándose muy bien el número que le haya salido. Después, ponga en un rincón de su hogar el billete, la carta de baraja, el dado y, frente a ellos, el vaso con hielo. Ponga el carbón al fuego, depositándolo después en el vaso. Deje que el agua se evapore y que el carbón se apague. Cuando termine, quítese el amuleto y cuélguelo junto al billete para que le dé la luna toda la noche. Al día siguiente, tome el amuleto y cuélgueselo nuevamente, o llévelo consigo, y salga a la calle a comprar un billete de lotería, apuéstele al caballo que tenga relación con el número que sacó con el dado, o participe en una rifa con el número del dado; si hace todo como se le indicó, seguramente saldrá con el premio.

¿Cómo Poder Lograr Un Aumento De Sueldo En Su Trabajo?

Para que usted logre una mejora económica en su salario, sin importar que su jefe o compañeros se opongan, lo único que debe de hacer es lo siguiente:

Materiales

* 2 dados
* 1 hoja de papel blanca
* 1 plato de porcelana blanco
* 1 paño azul o verde

* 7 monedas iguales (de cualquier denominación)
* 1 ramo con diversos tipos de flores (de diferente color)

Lo primero que debe hacer, es lanzar los dados y escribir en el papel el número total que obtenga sumando los dados; a un lado de este número, escriba su número de nacimiento (en el último capítulo encontrará cómo sacarlo), dóblelo y póngalo sobre el plato de porcelana. Después, tome el paño, extiéndalo y coloque 5 monedas de forma vertical, y las otras dos transversalmente entre la quinta y sexta moneda vertical, formando una cruz invertida. Coloque a la derecha del paño el plato y repita el siguiente conjuro :

Moneda ... dinero... ¡aumenta mi oro!
¡aumenta, moneda... aumenta mi tesoro!

Por último, vaya a un parque y, al pie de un árbol sano y frondoso, entierre todo el "trabajo" y ponga las flores encima.

¿ Qué Hacer Para Siempre Tener Dinero ?

Para que nunca se quede sin un peso en su cartera o bolso, le recomendamos hacer el siguiente hechizo, fácil, rápido y muy efectivo :

Materiales

* 7 monedas de plata (pequeñas)
* Agua bendita

Lo primero que debe de hacer, es poner las monedas en un lugar donde les dé el sol y la luna, y dejarlas ahí 3 días y 3 noches exactamente. Una vez transcurrido el tiempo, lave las monedas muy bien con el agua bendita. Finalmente, guarde una en su cartera o bolso, y reparta las demás por todas las habitaciones de su hogar, procurando esconderlas muy bien, pues nadie debe verlas. Le recomendamos hacer este hechizo en noches de luna llena.

Hechizo Para Viajar Constantemente

Si usted es de esas personas con alma nómada que le gusta estar viajando constantemente, le sugerimos hacer el siguiente hechizo para que vaya de un lugar a otro satisfaciendo su necesidad de viajar :

Materiales

* 1 escoba de mijo
* Ropa blanca
* 1 cinta azul
* 1 cinta blanca
* 1 cinta marrón

Vístase completamente de blanco y vaya a una habitación de su casa donde nadie pueda ver lo que hace.
Una vez ahí, a las 3 de la tarde exactamente, móntese en
la escoba simulando que va a volar con ella, dé 2 vueltas
a la habitación y repita el siguiente conjuro :

> *Abracadabra* ... abre las puertas ...
> *Abracadabra* ... ¡el universo quiero
> conocer!

Hecho esto, ponga la escoba en el piso y, de rodillas,
dígale:

> Sésamo ábrete ... Y nunca te cierres ...
> Sésamo ábrete... *Abracadabra.*

Después de decir el conjuro, amárrele a la escoba,
en la parte del palo, las 3 cintas que simbolizan viajar
por mar (azul), viajar por aire (blanca) y viajar por tierra
(marrón). Acto seguido, esconda debajo de su cama la
escoba y déjela ahí hasta que surja el primer viaje;
cuando esto pase, tome la escoba y barra todo su hogar
hacia la puerta principal y eche fuera de su casa el polvo.
Finalmente, coloque la escoba nuevamente debajo de su
cama. Repita esta operación cada vez que se le presente
un viaje.

¿ Cómo Atraer El Dinero ?

Si usted busca proteger su dinero y atraer la fortuna a su vida, haga el siguiente hechizo, que es muy fácil y efectivo:

Materiales

* 1 ajo macho
* 1 charola plateada (chica)
* 4 chiles serranos
* 1 moneda de plata

Cualquier día de luna nueva, ponga los chiles, el ajo y la moneda en la charola y déjelos ahí hasta que se marchiten; cuando esto suceda, tire a la basura el ajo y los chiles, reemplazándolos por otros. Esto se hace con la intención de alejar las malas vibraciones. Haga esto constantemente y verá que pronto se solucionaran sus problemas económicos.

Solucione Todos Los Problemas Económicos En Su Hogar

Cuando su familia se ve afectada por alguna crisis económica, usted puede ayudar a los suyos de la siguiente manera :

Materiales

* Periódicos

* 2 kg. de cenizo (yerba gris que se adquiere en los mercados)

El primer día de cada mes, ponga sobre una página del periódico un poco de cenizo y repártalos en todas las habitaciones de su casa, colocándolos en closets o roperos. Sustituya cada mes el periódico con el cenizo y verá que nunca más habrá problemas económicos en su hogar.

Atraiga Fortuna Y Dinero Con Una Rana

Cuando usted esté necesitado de dinero, o esté en algún aprieto económico, haga el siguiente hechizo :

Materiales

* 1 rana dorada (porcelana, piedra, latón, etc., menos de tela)
* Aceite de sándalo

Tome la rana y úntele el aceite de sándalo mientras repite el siguiente conjuro durante 7 minutos :

> Rana, ranita dame dinero

Esto le traerá la fortuna y dinero a su vida; pero si usted necesita urgentemente el dinero, repita el conjuro 7 veces y sóbele el lomo al animalito. Se recomienda hacer este hechizo el primer día de luna nueva.

¿ Cómo Hacer Rendir El Dinero ?

Cuando se atraviesan situaciones económicas difíciles, usted tiene que hacer rendir el dinero al máximo. Si usted no puede hacerlo, lleve a cabo el siguiente hechizo y verá cómo le alcanza para todo :

Materiales

* 1 recipiente de cobre (pequeño)
* Loción Siete Machos
* Loción de Jazmín
* Loción de Heliotropo
* 1 ramo de limpia (se consigue con yerberos)
* 1 gotero
* Periódico

Un martes cualquiera, mezcle en el recipiente 7 gotas de Siete Machos, 7 de jazmín y 7 de heliotropo perfectamente. Después, rocíe el ramo con este líquido, quítese toda la ropa y empiece a limpiarse de la cabeza a los pies mientras dice el siguiente conjuro :

Dinero, ven, ven, ven.
Los espíritus benefactores me ayudarán para que el dinero me rinda y no se me vaya;
porque así lo quiero y así será.

Finalmente, con la planta de sus pies, restriegue el ramo, recójalo con el periódico, envuélvalo bien y tírelo lejos de su hogar. Repita toda la operación durante 7 martes seguidos.

¿Cómo Acabar Con Su Mala Suerte?

Cuando nada nos sale bien y los problemas nos acosan constantemente, lo mejor que podemos hacer para acabar con esta mala suerte es lo siguiente :

Materiales

* 28 carbones
* Amoníaco
* Periódico

Tome 4 carbones e imprégnelos perfectamente con el amoníaco; coloque uno en cada esquina de su hogar, y déjelos ahí durante 7 días. Transcurrido el tiempo, recójalos con el periódico y tírelos lejos de su casa. Repita la misma operación durante 7 semanas más.

Limpiese La Mala Suerte Con Limones, Atrayendo La Buena Fortuna

Cuando su "rachita" de mala suerte se ha prolongado, usted debe de actuar inmediatamente para acabar con ella. Hágase la siguiente limpia y verá que todo queda solucionado :

Materiales

* 1 plato hondo de peltre
* 2 limones
* Azúcar
* Alcohol industrial

Ponga en el plato los limones, 3 cucharadas de azúcar y 3 tazas del alcohol; despójese de toda su ropa y aviente, con mucho cuidado, un cerillo al plato. Una vez que esté en llamas, salte sobre de él formando una cruz y repita :

> Invoco a mis espíritus protectores
> para que me traigan mucha suerte
> en todo lo que emprenda,
> ya sea amor, dinero, fama, salud
> y bienestar familiar; que así sea.

Si algún limón llegara a explotar, no se asuste, pues son las malas vibraciones que se están alejando. Finalmente, arroje todo lo del plato al excusado y jale la cadena inmediatamente. Posteriormente, lave perfectamente el plato en una cubeta. Le recomendamos hacer esta limpia 3 veces durante 2 semanas los días martes y viernes.

¿ Cómo Conseguir Un Buen Trabajo ?

Si usted se encuentra desempleado y ansía encontrar un trabajo bien pagado y agradable, haga el siguiente hechizo y verá que muy pronto le llegará :

Materiales

* Goma de mascar (chicle)
* Té de jacinto
* Cáscaras de limón fresco
* Carbón
* 1 anafre

Un día martes, ponga los carbones suficientes en el anafre y préndalos; una vez caliente, éche la goma, 3 cucharadas del té y 3 de las cáscaras, repitiendo el siguiente conjuro :

> Invoco a los protectores del trabajo
> para que me devuelvan las llaves del
> trabajo que se me han perdido.
> San Martín Caballero,
> tráeme un empleo bien remunerado.
> Amén.

Repita la oración y brinque en forma de cruz sobre los carbones hasta que éstos se apaguen. Debe de hacer todo el ritual durante 7 martes, sin interrupción.

Limpia Rápida Y Sencilla Contra Lo Salado

Como parte final de este capítulo, le enseñaremos cómo limpiarse y quitarse lo salado rápida y fácilmente:

Materiales

* 1 huevo
* Sal de grano
* 1 vaso de cristal transparente y liso
* Agua corriente.
* 1 imagen de la Divina Providencia
* 1 veladora blanca

Ponga en el vaso 5 dedos de agua y 3 cucharadas de la sal de grano; una vez hecho esto, quítese toda su ropa y "límpiese" con el huevo formando cruces por todo su cuerpo, y repitiendo su oración predilecta. Cuando termine de hacer esto, rompa el huevo en el vaso y póngalo frente a la imagen de la Divina Providencia, encienda la veladora, pida por usted a la imagen y deje el vaso ahí un día completo. Al día siguiente, tire el contenido del vaso al excusado y jale la cadena.

Capítulo XI

Talismanes, Números De Nacimiento Y Oraciones

En esta parte final del libro, usted podrá encontrar todas las oraciones que se utilizan en esta obra, así como otras que le pueden ser de gran ayuda. De igual manera, le mostraremos cómo sacar sus números de nacimiento fácilmente, así como a manufacturar talismanes zodiacales.

Es muy importante que ponga mucha atención a la hora de hacer los talismanes o de repetir las oraciones, pues un error en ellas, podría hacer que el hechizo fracasara. Mucho cuidado y la mejor de las suertes para usted y todos los que le rodean.

Amuletos O Talismanes Zodiacales

Es conveniente que todas las personas siempre lleven consigo algún talismán o amuleto que corresponda a su signo zodiacal. A continuación, le mostraremos cómo hacer todos y cada uno de estos amuletos.

Aries
21 Marzo -20 Abril

* 1 pizca de romero
* un puño de limadura de hierro
* 1 pizca de té negro
* 1 semilla de naranja
* 1 pizca de ruda
* 1 pasa
* 1 cacahuate
* 1 grano de café
* 8 granos de mostaza
* 1 frijol
* 1 chícharo
* 1 pedazo de hierro (pequeño)
* 1 piedra de malaquita

Un martes, jueves o domingo, de las 2 de la madrugada a las 8 de la mañana, ponga todos los ingredientes que le mencionamos a velar (vigilando que las veladoras no se apaguen para nada), con dirección al oeste, suroeste o noreste. Al día siguiente, meta todos los ingredientes a una bolsa de tafetán pequeña que sea de color roja, escarlata, rosa o morada.

Tauro
21 Abril- 20 Mayo

* Limadura de cobre
* 1 semilla de uva
* 1 avellana
* 1 grano de café
* 1 hoja de menta
* 1 semilla de cebolla
* 1 pétalo de clavel rojo
* 1 pizca de almizcle
* 7 granos de trigo
* 1 rama de yerbabuena
* 1 raja de canela
* 1 pizca de tomillo
* 1 pizca de azafrán

Ponga los ingredientes a velarse de las 12 de la noche a las 6 de la mañana de un día viernes, jueves, lunes o sábado, dirigiéndose hacia el oeste, sur o suroeste. Guárdelos en una bolsita de tafetán rojo, anaranjado o amarillo, y envuelva todo en papel de china.

Géminis

21 Mayo - 20 Junio

* 1 pétalo de clavel rojo
* 1 pétalo de jazmín
* 1 pizca de almizcle
* 1 pizca de hinojo
* 1 pizca de salvia
* 1 pizca de tomillo
* 1 pizca de azafrán
* 1 grano de café
* 1 raja de canela
* 1 trocito de chocolate
* 1 hoja de yerbabuena
* 7 granos de trigo entero
* 1 semilla de cebolla
* 1 avellana
* 1 pizca de azúcar morena

Los días indicados para la velación son jueves, viernes, sábado o lunes, de las 12 de la noche a la 6 de la mañana, en dirección hacia el sur o el oeste. La bolsita de tafetán debe de ser de color amarillo pastel o azul pálido.

Cáncer
21 Junio- 20 Julio

* Limadura de aluminio
* 1 pedazo de cristal
* 1 hoja de laurel
* 1 semilla de calabaza
* 1 grano de maíz
* 7 granos de trigo
* 1 pizca de anís
* 1 pizca de manzanilla seca
* 1 pizca de té negro
* 1 pizca de azúcar morena
* 1 semilla de sandía
* 1 semilla de toronja

Para este amuleto, el tafetán debe ser verde, blanco o plateado; y los días de velación ideales son los lunes, de 8 de la noche a 2 de la madrugada, orientado hacia el sur o sureste.

Leo
21 Julio - 21 Agosto

* 1 pedazo de chocolate
* 1 almendra
* 1 semilla de uva
* 1 pasa
* 1 hoja de flor de manita
* 2 hojuelas de avena
* 7 granos de trigo
* 7 granos de arroz
* 1 lenteja
* 1 clavo (especia)
* 1 pizca de mirra
* 1 pizca de sándalo rojo
* 1 pizca de incienso
* 1 pizca de polvo dorado
* 1 piedra "ojo de gato"

Los días para velar los ingredientes son los jueves o domingos, de 6 de la tarde a 12 de la noche, con dirección hacia el sur o el oeste; la bolsa debe de ser color beige, amarillo, anaranjado o dorado.

Virgo
22 Agosto - 22 Septiembre

* 1 ágata pequeña
* 1 cáscara de limón (pequeña)
* 1 cáscara de naranja (pequeña)
* 1 raja de canela
* 1 chícharo
* 1 haba
* 1 frijol bayo
* 7 granos de maíz
* 1 pizca de mejorana
* 1 pizca de eneldo
* 1 grano de café
* 1 pedazo de avellana
* 1 pedazo de castaña
* 1 hoja de menta
* 1 semilla de manzana
* 1 hormiga colorada (que usted haya matado)

La bolsa debe de ser color violeta, amarillo o azul marino. Debe velarse en dirección al suroeste, los días miércoles, sábado o jueves, de 6 de la tarde a las 10 de la noche.

Libra
23 Septiembre - 22 Octubre

* 1 moneda de 20 centavos
* 1 pizca de almizcle
* 1 pizca de azafrán
* 1 pizca de cebada
* 1 pétalo de rosa amarilla
* 1 semilla de cebolla
* 6 lentejas
* 6 granos de arroz
* 6 hojuelas de maíz
* 6 cacahuates
* 1 pasa
* 1 pizca de azúcar morena
* 1 pizca de orégano
* 1 pizca de manzanilla
* 1 pedazo de nuez de Castilla

Puede usted velar los ingredientes de las 2 de la tarde a las 8 de la noche, los días miércoles y viernes, teniendo una orientación hacia el este, noreste o sureste. La bolsa donde debe guardarlos, tiene que ser de color amarillo, verde o azul pálido.

Escorpión
23 Octubre - 22 Noviembre

* 1 alacrán güero muerto
* 1 grano de trigo
* 1 pétalo de crisantemo
* 1 pasa
* 1 clavo (especia)
* 1 hojita de perejil
* 1 pepita de calabaza
* 1 pizca de azúcar morena
* 1 pizca de manzanilla
* 1 pizca de anís
* 1 pizca de salvia
* 1 pizca de mostaza en grano
* 1 pizca de romero
* Limadura de hierro
* Limadura de acero

Un lunes, martes, jueves o viernes, de 12 de la noche a las 6 de la mañana y con dirección al noreste, este y sureste, es lo más recomendable para velar todos los ingredientes. La bolsita, tiene que ser de color verde oscuro, escarlata o azul.

Sagitario
23 Noviembre - 20 Diciembre

* 1 turquesa
* 1 clavo (especia)
* 3 granos de elote
* 3 granos de arroz
* 3 granos de trigo
* 3 hojuelas de avena
* 3 pasas
* 1 pizca de té negro
* 1 pizca de anís
* 1 pizca de nuez moscada
* 1 pizca de ajonjolí
* 1 pizca de azúcar morena
* 3 granos de café

La bolsa donde irán los ingredientes será de color amarillo, azul, turquesa o morado. Y los días para velarse son sábado, domingo, martes y jueves de 10 de la mañana a las 4 de la tarde, dirigiéndose hacia el noreste, norte o noreste.

Capricornio
21 Diciembre - 19 Enero

* 1 pedacito de plomo
* 1 piedra de azabache
* 1 pétalo de clavel rojo
* 1 pizca de hinojo
* 1 pizca de incienso
* 1 pizca de cebada
* 1 pizca de eneldo
* 1 pizca de romero
* 1 pizca de tabaco
* 1 hoja de menta
* 1 clavo (especia)
* 1 cacahuate
* 1 diente de ajo
* 1 grano de café
* 1 semilla de toronja
* 1 semilla de naranja

Pueden velarse en dirección noreste, norte o noreste, cualquier día sábado o jueves de las 8 de la mañana a las 2 de la tarde. La bolsa debe ser color gris, azul, morado, violeta o verde seco.

Acuario
20 Enero - 18 Febrero

* 1 piedra ámbar
* 1 pizca de azufre
* 1 pizca de incienso
* 1 pétalo de violeta
* 4 lentejas
* 2 pasas
* 2 granos de café
* 4 hojas de perejil
* 1 hoja de menta
* 1 pizca de tabaco
* 1 pizca de azúcar morena
* 1 almendra
* 1 semilla de manzana
* 1 semilla de pera
* 1 semilla de cebolla

La bolsa debe de ser color violeta, plateado, gris, verde seco o azul eléctrico, y deben de velarse de las 6 de la mañana a las 12 del día con dirección norte, noreste u oeste, cualquier día martes, miércoles, jueves, sábado o domingo.

Piscis
19 Febrero - 20 Marzo

* 1 pimienta negra
* 1 clavo (especia)
* 3 frijoles
* 3 lentejas
* 3 semillas de calabaza
* 3 granos de maíz
* 3 hojuelas de avena
* 2 granos de arroz
* 1 pizca de menta
* 1 pizca de nuez moscada
* 1 pizca de anís
* 1 pizca de té negro
* 1 avellana
* 3 pasas

De 4 de la madrugada a 10 de la mañana, cualquier día lunes, martes, jueves o viernes, y con dirección hacia el oeste, se pueden velar los ingredientes, metiéndolos después en una bolsita blanca, violeta, malva, guinda, cereza o ámbar oscuro.

Otro Tipo De Talismanes

Además de los talismanes zodiacales, tenemos otro tipo de amuletos igualmente poderosos y eficaces, como los astrológicos.

Estos talismanes, pueden usarse diariamente por usted, siempre dependiendo qué día de la semana consagre a cada uno de los talismanes astrológicos, y cuál se incline a su signo zodiacal. Por ejemplo :

DOMINGO	SOL
LUNES	LUNA
MARTES	MARTE
MIÉRCOLES	MERCURIO
JUEVES	JÚPITER
VIERNES	VENUS
SÁBADO	SATURNO

A continuación le mostraremos cómo se hacen cada uno de estos talismanes, y cuál es su función. Es importante decirle que, todos los talismanes qué le presentaremos, pueden ser grabados en piel, piedras, anillos o en alguna superficie cualquiera que usted siempre lleve consigo.

Talismán Del Sol

Estos talismanes tienen un poder extraordinario para cosas buenas. Los puede preparar con hierro o amatista, dibujando en ellos una cabeza de león y el signo del sol. Se recomienda a los nacidos bajo el signo de Leo y Sagitario que usen estos amuletos

Talismán De La Luna

Su principal cualidad o función, son los secretos místicos, la adivinación o para reforzar poderes ocultos. Generalmente, se tallan sobre plata, medias lunas o el símbolo de la luna. Son excelentes para los nacidos bajo el signo de Cáncer, Escorpión y Piscis.

Talismán De Mercurio

La persona que usa estos talismanes, llega a ser discreta, dotándolos de sabiduría y facilidad de palabra. Son preparados con ágata o mercurio, y se recomiendan a los "acuarianos" y para los "geminianos".

Talismán De Júpiter

Dan seguridad a los que los usan, eliminando temores, tristezas y obstáculos que nos impiden ser felices en la vida. Están hechos con estaño o esmeralda. Son buenísimos para los nacidos bajo el signo de Aries.

Talismán De Venus

Son favorables para los de Libra y los Virgo, ya que los ayudan en cuestiones sentimentales o amorosas; poseen la virtud de reconciliar a enemigos mortales, y están hechos de cobre o turquesa.

Talismán De Saturno

Protegen contra enfermedades contagiosas y se recomiendan ampliamente a las mujeres que van a dar a luz. Son muy favorables para los nacidos bajo el signo de Capricornio, y están hechos de plomo o piedra pómez.

Número De Nacimiento

El número de nacimiento, no es otro más que la suma total de todos los números que integran tu fecha de nacimiento. Al igual que este número, existe el del nombre, que es exactamente lo mismo, sólo que sumando el número de letras que tiene tu nombre, con o sin apellidos.

Para que usted entienda mejor este sistema, le pondremos un par de ejemplos: Si usted nació un 7 de agosto de 1967, lo que tiene que hacer para sacar su número de nacimiento es lo siguiente :

1.- Anote con números la fecha :

7 - 8 - 1967

2.- Sume cada número independientemente :

$7 + 8 + 1 + 9 + 6 + 7 = 38$

3.- Tome el 38 y vuélvalo a sumar hasta que tenga un número de un sólo dígito :

$$3 + 8 = 11 \text{ ; luego } 1 + 1 = 2$$

4.- Su número de nacimiento es el 2

Se le recomienda memorizar su número, intentando siempre actuar en torno a él. Lo puede grabar en alguna joya o amuleto y siempre traerlo consigo.

Por lo que respecta al nombre, haga lo mismo. Por ejemplo, si usted se llama Martha Patricia González Villanueva, haga lo que sigue :

1.- Cada letra vale 1, así que cuente las letras y, ese será su número de nombre :

$$\text{Martha} = 6$$
$$\text{Patricia} = 8$$
$$\text{González} = 8$$
$$\text{Villanueva} = 10$$
$$6 + 8 + 8 + 10 = 32$$
$$3 + 2 = 5$$

2.- Así pues, su número de nombre es el 5.

Oraciones

Finalmente, le presentaremos algunas de las oraciones que más se utilizan en las magias, brujerías, hechizos, etc. Tenga mucho cuidado al repetirlas o utilizarlas, pues un error, podría echar por tierra todo el trabajo.

Oración De San Martín Caballero

¡Oh glorioso soldado romano que fuiste de Dios conferido a cumplir el don de la caridad!
Por las pruebas más grandes a que fuiste sometido por el Señor,
yo te pido de todo corazón que combatas la miseria de mi casa,
que la caridad de tu Alma me siga por dondequiera que vaya.
Que tu espada milagrosa destierre los maleficios en mi vida
y que las herraduras de tu brioso corcel
me proporcionen suerte en todos mis negocios.
¡Oh San Martín Caballero! Del señor fiel misionero...
¡Líbrame de todo mal! ¡Protégeme siempre!
¡Para que nunca me falten la salud, el trabajo y el sustento!

Oración A El Ángel De La Guarda

Ángel Santo de mi Guarda...
¡Oh mi dulce compañía!
No me desampares ni de noche ni de día...
Hasta que me entregues en los brazos de Jesús y de María.
Con tus alas me persigno
y me abrazo de la Cruz
y en mi corazón me llevo al dulcísimo Jesús.

Oración A La Divina Providencia

¡Oh Divina Providencia!
¡Concédeme tu clemencia y tu infinita bondad!
Arrodillado a tus plantas, a Ti caridad, portento.
Te pido para los míos casa, vestido y sustento,
concédeles la salud, llévalos por buen camino
que sea siempre la virtud la que los guíe en su destino.
Tú eres toda mi esperanza.
Tú eres el consuelo mío.
En lo que mi mente alcanza,
en Ti creo,
en Ti espero
y en Ti confío.
La Divina Providencia, se extienda a cada momento.
Para que nunca nos falte casa, vestido y sustento.

Oración Al Espíritu Santo (diaria)

¡Oh Espíritu Santo!, amor del Padre y del Hijo,
inspírame siempre lo que debo pensar
en lo que debo decir, y cómo debo decirlo...
en lo que debo callar,
en lo que debo escribir y cómo debo actuar.
Inspírame en lo que debo hacer para procurar vuestra
gloria,
el bien en las almas y mi propia santificación.
¡Oh Espíritu Santo!, ayúdame a ser bueno
y fiel a la gracia de Dios, e infamia al mundo
que se materializa en mi fuego de tu amor.

Oración A San Antonio

¡Oh, glorioso San Antonio!
Yo bendigo al Señor que te hizo aparecer en el mundo
para bien de la humanidad. Dios se complació en derra-
mar sus dones por tu conducto
y valiéndose de ti,
se mostró Padre cariñoso,
y solicíto de los mortales.
¡Cuántos desconsolados recurrieron a tu caridad
para que les dieran alivio en sus penas!
Tú alcanzaste con tus oraciones
que las cosas perdidas fueran halladas
que se restableciera en los matrimonios la paz...
y lograste ser llamado el Santo de los Milagros
por el gran número de ellos que Dios obró por tu medio
para remediar las miserias y necesidades de las almas.

Oración De La Virgen De Guadalupe

Virgen Santísima de Guadalupe,
Madre y Reina de los cielos ...
aquí nos tienes humildemente postrados
ante tu prodigiosa imagen.
En Ti ponemos toda nuestra esperanza.
Tú eres nuestra vida y consuelo.
Estando bajo tu sombra protectora,
y en tu maternal regazo, nada podemos temer.
Ayúdanos en nuestra peregrinación terrena
e intercede por nosotros ante tu Divino Hijo
en el momento de la muerte ...
para que alcancemos la eterna salvación del alma.

Oración A San Alejo

¡Oh glorioso San Alejo mío!
tú que tienes el poder de alejar
todo lo malo que rodea a los escogidos del Señor,
te pido que alejes de mí a mis enemigos.
Aléjame de Satanás, aléjame del mentiroso y
hechicero, así como también del pecado.
Por último, aleja al que viniere a mí para hacerme daño.
Pónme tan lejos de los malos que jamás me vean.
¡Así sea!
Aleja de mí los malos pensamientos,
aleja a los insensatos que quieren hacerme mal.
Acércame al Señor, para que con su divina gracia
me cubra de todo lo bueno y me reserve
un puesto a la sombra del Espíritu Santo.
¡Amén Jesús!

Oración A San Judas Tadeo

¡Oh glorioso Apóstol San Judas!
fiel servidor y amigo de Jesús,
en el nombre del pérfido discípulo que entregó a tu
 Maestro
en manos de tus enemigos,
ha hecho que muchos te hayan olvidado,
pero la iglesia te venera y te invoca como
Patrón de los casos desesperados.
Ruega por mí tan necesitado,
haz uso del privilegio a ti concedido
de prestar visible y pronta ayuda,
cuando ésta de nada ni de nadie se espera.
Ven a mi ayuda en esta gran necesidad
para que pueda recibir las consolaciones
y socorros del cielo
en todas mis necesidades, tribulaciones y dolores
en particular (aquí haga su petición)
y pueda bendecir a Dios contigo
y con todos los elegidos en la eternidad.
Te prometo Bienaventurado San Judas,
agradecerte para siempre este favor
y no cesar de honrarte
como especial y poderoso Protector
y hacer cuanto esté en mi poder,
para fomentar la devoción a tu Patrocinio. Amén
San Judas Tadeo,
rogad por nosotros...
¡y por todos los que invocan tu ayuda!

Oración A Las Misiones Divinas

Amantísimo y Sacratísimo Dios Nuestro Padre
Celestial,
que todo lo ve y todo lo puede, Omnipotente
Creador,
todas las criaturas fuimos hechas a su Soberana
imagen y semejanza,
pero como sólo Usted es perfecto,
sólo Usted mismo puede entenderse.
Quienes nos encontramos a su sacratísimo servicio,
como una de las principales virtudes
que su Omnipotente misericordia no ha podido dar,
le rogamos ¡Oh Padre de toda piedad!
que perdonándonos nuestra baja evolución,
nos permita seguir en el camino de aflicción, trabajo
y sacrificio que conduce a Su Amado Hijo,
Nuestro Señor Jesucristo.
Soberano Creador, Usted que todo lo puede,
escuche por caridad las súplicas de sus fieles siervos
y servidores,
quienes con el corazón contrito y humillado,
le suplican que para no cometer errores de palabra
o de obra por dejarse llevar por los pensamientos,
Usted que todo lo sabe,
los ilumine en su camino de servicio a la Creación,
por medio de su Omnipotente Sentimiento.
Quienes somos sus fieles siervos y servidores,
sabemos muy bien que sólo su Inefable y
Omnipotente Sentimiento,
es la única guía y Luz Divina que puede combatir

las tinieblas formadas por los pensamientos,
palabras y acciones de quienes por nuestra propia
imperfección,
no podemos hacer nada grato ante sus Sacrosantos Ojos.
Aflicción, Trabajo y Sacrificio deseamos sus fieles
siervos y servidores,
para poder seguir el camino de salvación y redención
que nos enseña nuestro Señor Jesucristo
a quienes queremos ayudar a cargar su Cruz,
pero para poder cumplir con su Santa y Bendita Misión
que nos ha encomendado, lo que necesitamos
es su inspiración Divina a través de su
Omnipotente Sentimiento de Creador.

Amantísimo y Sacratísimo Dios Padre Celestial,
por favor sálvenos de nuestros pecados
que ocasionan nuestra imperfección
e ilumínenos con Su Divino Sentimiento
para que sólo Él, sea la guía
de todo lo que pensemos, hablemos o hagamos.

Oración A El Arcángel San Gabriel

Arcángel San Gabriel,
Celestial Mensajero de El Señor
quien tuvo la Bienaventuranza Divina
de visitar a la Santísima Virgen María en la
Anunciación,
por favor le suplicamos que haga la caridad de
interceder
ante el que todo lo ve y todo lo puede,

para que los ángeles rebeldes alcancen la salvación
y no sean hundidos en la nada.
Arcángel San Gabriel, usted que posee la
Bienaventuranza Celestial
de ser ¡Parte de la Omnipotente Justicia,
en estos momentos humildemente le imploramos,
le rogamos y le suplicamos que así como El Santo,
Divino y Bendito Señor Natividad Reyna
Que Es Uno Con Dios a través de Su Devocionario
intercede por la humanidad ante El Creador,
así Ustedes, por medio de esta oración,
interceda ante El Todopoderoso,
para que su Omnipotente Bondad, Amor,
Misericordia y Justicia, perdone los pecados
cometidos
por los ángeles rebeldes y sean salvados.
Lo anterior se lo suplicamos por la Muerte y
Resurrección
de Nuestro Señor Jesucristo; por la vocación
de Abraham, Isaac, Jacob y José, por el nacimiento
de Moisés y Josué;
por las virtudes de Gedeón, Jefté, Sansón, Helí y
 Samuel;
por la Gloria de Los 3 Reyes Magos,
Melchor, Gaspar y Baltazar; por las potestades de
los reyes
Saúl y David; por los 6 días en que se realizó la
Creación;
por el triunfo del Arcángel San Miguel,
que es la Omnipotente Justicia;
por el eterno luto que se lleva por el sacrificio

de El Cordero de Dios; por la sabiduría de Enoch;
por la obediencia de Noé; por la castidad de La
Santísima Virgen María;
por la fidelidad de Job y por las milagrosas palabras
de Isaías, Jeremías, Ezequiel y Daniel.
Arcángel San Gabriel, nosotros no somos nadie
para tratar de cambiar los designios de El Creador,
pero como todos somos hijos de Dios Nuestro Padre
Celestial,imploramos su divino auxilio para que
tomado en cuenta
el arrepentimiento de los ángeles rebeldes,
les brinde la oportunidad de que se rediman
y no se hundan en la nada.

Oración Al Señor De Las Maravillas

Gracias Santísimo Señor de las Maravillas
por mostrarnos el gran amor de Dios Nuestro Padre
Celestial.
Gracias Santísimo Señor de las Maravillas
por ofrecernos el medio de conocer la Omnipotencia
Divina.
Gracias Santísimo Señor de las Maravillas
porque debido a sus celestiales ruegos,
Dios Padre nos concede todo lo que pedimos a través
de usted.
Gracias Santísimo Señor de las Maravillas
porque a cambio de todo, sólo exige la bondad hacia
los demás.
Gracias Santísimo Señor de las Maravillas
porque cargando el peso de los pecados de la

humanidad,
obtiene para todos la Misericordia Divina en todas
sus necesidades.
Gracias Santísimo Señor de las Maravillas
porque la Luz Divina que representa para la
humanidad,
combate en silencio la maldad.
Gracias Santísimo Señor de las Maravillas
porque al ver su sagrado rostro de sacrificio,
nos enseña el camino hacia su Padre.
Gracias Santísimo Señor de las Maravillas,
porque aún cuando no le ayudemos a cargar su Cruz
Redentora, por siempre nos bendice.
Gracias, muchas gracias Santísimo Señor de las
Maravillas
por todos los beneficios que nos da,
aunque no los merezcamos.

Oración A La Trinidad De El Poder

Tres son las Divinas Personas de Nuestro Padre
Celestial :
Dios Padre, Dios Hijo y Dios Espíritu Santo.
Tres son los máximos deseos de Dios para todos;
nuestra salvación, nuestra evolución y nuestra
integración a Él.
Tres son las bases para llegar a Dios;
la abstinencia, la renunciación y la entrega.
Y Trino es el Poder Divino en la tierra
y el cielo para combatir el mal.
¡Oh Santos, Divinos y Benditos Grandes Seres!

Señor Natividad Reyna, Señor San Judas Tadeo
y Arcángel San Miguel, poderosas y celestiales
Manifestaciones de Dios Padre,
por favor les suplico por medio de mi humildad
y del arrepentimiento de los pecados cometidos,
que por medio de su Divina y Trina Tarea,
ayuden a anular,
desligar y combatir, el extraño mal que aqueja a la
humanidad y que le impide vivir en felicidad
alabando a Dios.
Trino es su Poder, Trina es su Celestial Alianza
y Tres son Ustedes,
por lo que tres veces suplicamos, en nombre de
Dios Padre, de Dios Hijo y de Dios Espíritu Santo,
que realicen el milagro de librar a sus fieles siervos
de la humanidad,   (
de las acechanzas de los enemigos de El Creador,
quienes por siempre han de ser hundidos en la nada
por el Omnipotente Poder Divino.
Apelo a su Misericordia Divina por medio de los
Divinos Ejemplos de Fe, Esperanza y Caridad
que sus fieles discípulos prodigan a todos por igual,
por la perpetuación de la Sagrada Tradición
Sacerdotal Moya,
por la perpetuación del Apostolado
y por la perpetuación de las Milicias Celestiales,
la humanidad les suplica, les ruega y les implora,
divinales Grandes Seres, la liberen del infortunio
en que se encuentra por obra de entes perversos.
Sirvan para tal efecto, Su Unidad con Dios Padre,
Su Unidad con Dios Hijo

y Su Unidad con Dios Espíritu Santo
(se rezan 3 Padre Nuestros y se continúa diciendo)
Tres son las Principales Virtudes de la Santísima
Virgen María;
la castidad, la virginidad y la obediencia,
por lo que por medio de ellas, les suplicamos que a
partir de este momento
queden cerradas el alma y cuerpo de los integrantes
de la humanidad a cualquier maleficio,
al igual que San Pedro cierra las puertas
del Paraíso a los impíos.
Muchas gracias, muchas gracias, muchas gracias,
Santos, Divinos y Benditos Grandes Seres, Señor
Natividad Reyna,
Señor San Judas Tadeo y Arcángel San Miguel,
por librar a la humanidad del maleficio que no le
permitía alabar a
Dios Nuestro Padre Celestial.
Así sea, así sea, así sea.
Amén.

Oración A El Ángel Haegeth

¡Oh Celestial Ángel Haegeth !
que por bienaventuranza Divina recibió la
Sacratísima Misión de hacer comparecer
por medio del amor a los seres queridos de quienes
los aman,
suplicamos su Divinal Ayuda para que a toda la
humanidad
la irradie con sus efluvios de Amor Omnipotente

y le conceda el Don de auxiliarla en sus justas y puras
intenciones.
¡Oh Celestial Ángel Haegeth!
cuyos inefables caracteres del lenguaje mágico
sagrado
representan la salvación de los afligidos por
sus seres queridos distantes,
por favor le suplico auxilie a la humanidad
para que deje de sufrir la amarga desventura
del alejamiento de sus integrantes.
Por favor Ángel Haegeth, auxilie a la humanidad,
alivie su terrible dolor para evitar que la tristeza
que padece
aumente los sufrimientos que por todos soporta
Dios Nuestro Padre Celestial.
Y así como comprende que Dios Padre sufre por
todos
sus hijos que por sus pecados no se encuentran con
Él,
por favor comprenda a la humanidad y auxilie a sus
miembros en sus justas peticiones para evitar sus
sufrimientos.
Lo anterior se lo pedimos por el significado inefable
de sus propios caracteres, por el Poder de la Divina
Esperanza,
de su color preferido y por la Celestial
Bienaventuranza del Ángel Anael,
quien gozando al auxiliarlo, cumple también su
sagrada misión de ayuda angelical.
Seguros estamos en la Omnipotente Misericordia
y como sabemos que al igual que los Ángeles del

Coro Celestial
gozan alabando a Dios Nuestro Padre Celestial,
así usted Poderoso Ángel Haegeth,
goza sirviendo a Dios Padre a través de la
humanidad,
le damos las más infinitas acciones de gracias
y hacemos voto solemne de promesa de dar a
conocer
públicamente su oración, así como el favor recibido.
Así sea.

Oración A El Ángel Ock

Ángel Ock, Celestial Manifestación de la Misericordia Divina, por caridad imploramos su bendita intercesión para que ayude a la humanidad a obtener de Dios Nuestro Padre Celestial, todos los bienes materiales que necesita durante su corto paso por la vida física

Ángel Ock, Celestial Manifestación de la Misericordia Divina, por caridad salve a la humanidad de la pobreza material en la que la tiene sumida su miseria espiritual y evite que por equivocadas necesidades, se aparte de el sendero del Luz Divina.

Ángel Ock, ya que Dios Nuestro Padre Celestial a través de El Santo, Divino y Bendito Señor Natividad Reyna que Es Uno con Él, le otorgó el Don Divino de poder interceder ante Él, para otorgar toda la clase de bienes materiales a la humanidad, por piedad concédele el milagro de que así como goce la riqueza material, pueda gozar de la riqueza espiritual y que por medio de ella pueda llegar a comprender que para tenerlo todo en la vida, lo único que se debe hacer es buscar a Dios y su Reino, que todo lo demás se tendrá por añadidura.

Ángel Ock, que por ser una Celestial Manifestación de la Misericordia Divina, guarda un gran parecido en su Divina Presencia con nuestro Señor Jesucristo, salve a la humanidad de que por la pobreza, llegue a cometer los abominables pecados de la envidia y la codicia.

Ángel Ock, Celestial Manifestación de la Misericordia Divina, por medio de su bendita alianza con el Ángel Micael, tenga piedad de la humanidad y concédale el milagro de que una parte de los dones materiales con los que la beneficia, las emplee en obras pías, de caridad y de alabanza a Dios. Ángel Ock, por su Celestial Obediencia a Dios Padre, no permita que los bienes y la riqueza materiales que otorga a la humanidad, lleguen a apartarla del camino a Dios, al emplear sus beneficios para cometer pecados.

Y así como Dios Padre le dio la protestad solar de su Sagrada Misión Divina de iluminarlo todo por medio de la fortuna, por piedad ilumine a la humanidad y enséñele que sólo debe pedir a Dios a través de usted, aquellos bienes que no le afecten y que lo acerquen al cielo.

Ángel Ock, así como la luz del sol ilumina a la humanidad, así usted ilumine a las almas y concédales el milagro de que no se aten a los pasajeros bienes materiales, por los que tanto sufren vivos y muertos, y por medio de las indulgencias de Dios Nuestro Padre Celestial nos concedió gracias al incomparable respeto que el Buen Job siempre le ha demostrado, recompense a los puros de corazón y líbrelos de la aparente pobreza material con la que se gana la riqueza espiritual.

Ángel Ock, Celestial Manifestación de la Misericordia Divina, así como lo cubre el puro color amarillo tanto del sol como el oro espiritual, por caridad cubra con su Sacratísima Protección a la humanidad y líbrela de los sufrimientos de carecer de lo que le hace falta, por vivir dentro de la ilusoria felicidad material.

Ángel Ock, sabemos muy bien que la humanidad pecadora que padece de la miseria espiritual bien merece la pobreza material, pero ya que usted es una Celestial Manifestación de la Omnipotente Misericordia del Creador, por las indulgencias que Dios Nuestro Padre Celestial concede a las Siete Oraciones Especiales, por piedad libre a la humanidad de su bien ganada pobreza espiritual.

Que así sea para mayor Alabanza y Gloria de Dios Padre, Dios Hijo y Dios Espíritu Santo y demás Grandes Seres de la Corte Celestial, que presiden la evolución de la Creación.

Oración A El Ángel Phaleg

Ángel Phaleg, a quien el que todo lo ve y todo lo puede concedió la Celestial Virtud de poder interceder ante Él por las personas privadas de su libertad, por caridad escuche nuestras súplicas y libere de su infortunio a los reclusos arrepentidos.

Ángel Phaleg, usted sabe que para Dios Padre que todo lo puede, no hay ni habrá ningún imposible, por lo que para que los presos arrepentidos recobren su libertad, tan sólo hace falta que usted lo solicite a Dios Nuestro Padre Celestial.

Ángel Phaleg, Patrono de los reclusos, por caridad suplique a quien todo lo ve, para que tomando en cuenta el arrepentimiento de todos los presos, los absuelva de sus pecados y puedan recobrar su libertad.

Ángel Phaleg, lo anterior se lo suplicamos por el Poder de las Siete Palabras que El Creador reveló, por su Celestial Alianza con el Ángel Samuel y porque el Espíritu Santo es la paz de la Creación.

Ángel Phaleg, así como las oraciones de los fieles salvan almas de los cautivos en el purgatorio y en el infierno, por caridad interceda con su Sagrada Misión Divina ante Dios Padre para que el arrepentimiento de los presos, se convierta en la llave Celestial con que se les abra las puertas de la libertad.

Ángel Phaleg, Patrono de los reclusos, por caridad escuche los ruegos de los dolientes familiares de quienes por sus pecados no gozan de su libertad y colaborando con nuestro Señor Jesucristo, por piedad interceda por los presos arrepentidos y libérelos de su cautiverio.

Así sea en nombre de El Gran Adonay.

Oración A El Ángel Bethor

Ángel Bethor, a quien Dios Padre confió la Celestial Misión Divina de interceder por la humanidad, por caridad libérela de la amargura que vive y apártela del mal camino, cambiándola por devota de Nuestro Señor Jesucristo.

Ángel Bethor, por el poder de su Celestial unidad con el Ángel Takiel, libre a la humanidad de la amargura.

Ángel Bethor, por la felicidad que Dios le otorgó de saber que sólo puede ser feliz aquel que llegue a conocer la causa de las cosas, por caridad libre a la humanidad de la amargura.

Ángel Bethor, por el Omnipotente Poder de las once palabras que Dios Padre le reveló, libre a la humanidad de la amargura.

Ángel Bethor, por el brillo de pureza del metal de su predilección y en nombre de Cristo, libre a la humanidad de la amargura.

Ángel Bethor, porque su Celestial Mano posee el poder del Espíritu Santo, cambie la amargura de la humanidad en devoción hacia Dios y los Miembros de su Corte Celestial.

Ángel Bethor, por la Celestial nube que usa para ver al mundo, libre a la humanidad de la amargura.

Ángel Bethor, por las oraciones de paz de todos lo fieles a Dios Padre, libre a la humanidad de la amargura.

Ángel Bethor, en nombre de El Coro de los Ángeles que por siempre alaban al Señor, libre a la humanidad de la amargura.

Ángel Bethor, en nombre del Poder Divino de la oración de El Credo, salve a la humanidad de la amargura.

Así sea para mayor consuelo de Nuestro Señor Jesucristo, amén.

Alabanza A Los Tres Reyes Magos

Alabados sean Celestiales Reyes Magos, porque por bienaventuranza Divina, el Espíritu Santo convertido en estrella, iluminó su camino hacia donde se encontraba el Salvador y Redentor de vivos y muertos.

Alabados sean Celestiales Reyes Magos, porque por bienaventuranza Divina, el espíritu Santo convertido en estrella, iluminó su camino hacia donde se encontraba él Salvador y Redentor de vivos y muertos.

Santísimos Reyes Magos, ustedes que tienen la gracia sublime de conocer a la Sagrada Familia, siendo testigos de la Pureza de la Santísima Virgen María, por caridad combatan con el oro de la humildad Divina, con el incienso del amor de El Espíritu Santo y con la mirra de la Santidad Apostólica, la envidia que corroe a la humanidad y la hace vivir en la desgracia y en el infortunio.

Santísimos Melchor, Gaspar y Baltazar, por piedad salven a la humanidad de la envidia, para que así como ustedes admiraron la estrella de Belén, todas las criaturas podamos ver la Luz de Salvación y Redención de El Verbo de Dios,

Nuestro Señor Jesucristo.

Santísimos Melchor, Gaspar y Baltazar, por la sexta gracia que entregan a los infantes, por caridad entreguen sus valiosos tesoros de Amor Divino a la humanidad y salven a las criaturas de la envidia, para que renaciendo dentro de El Cristianismo, encuentren la salvación al no violar los Mandamientos de la Ley Divina.

Alabados sean por siempre San Melchor, San Gaspar y San Baltazar, porque siendo reyes y siendo magos, jamás envidiaron a la Segunda Persona de Dios Nuestro Padre Celestial, a quien sólo Él mismo se puede igualar.

Oración A El Santuario Moya

Celestial Santuario Moya, trono de Él Creador del cielo y de la tierra, sacratísimo sitio donde renació nuestro Señor Jesucristo el Hijo de Dios, para que ahora con cuerpo de Luz Divina, la humanidad lo siga y sea salvada de hundirse en la nada.

Celestial Santuario Moya, cuna de la bondad, el amor, la misericordia y la justicia de El Omnipotente y Todopoderoso Dios Nuestro Padre Celestial, por haber sido el nuevo seno donde se forjó el Salvador y Redentor de vivos y muertos, por siempre será alabado pues fue hecho por la Omnipotente Misericordia de Dios que es el Santo, Divino y Bendito Señor Natividad Reyna que es uno con Él.

Celestial Santuario Moya, donde por última vez el bien y el mal lucharon por la humanidad, bienaventurado es al haber sido el sitio escogido para que renaciera el amor entre quienes debemos de amarnos los unos a los otros.

Celestial Santuario Moya, donde las Milicias Celestiales demostraron por siempre que sólo Dios Nuestro Padre celestial es Todopoderoso, pues es la Omnipotencia del amor, la bondad, la misericordia y la justicia.

Celestial Santuario Moya, trono de Dios Padre, Dios Hijo y Dios Espíritu Santo en la tierra, por ser la salvación de la humanidad, ¡alabado sea!

TÍTULOS DE
ESTA COLECCIÓN

Impreso en Offset **Libra**

Francisco I. Madero 31

San Miguel Iztacalco,

México, D.F.